D1503330

Personne n'en saura rien

Sylvie Granotier

Personne
n'en saura rien

ROMAN

Albin Michel

COLLECTION « SPÉCIAL SUSPENSE »

À Sandrine Dumas
qui sait l'importance des commencements.

1

L'HOMME *ruisselle comme si la graisse qui l'enrobe fondait sous l'effet de la chaleur. Il ne descend pas les vitres de sa camionnette pour autant. Sa tête est vide. Il met cela sur le compte de son immense patience qui aplatit son cerveau en une mer étale. Il sait que le moment vient immanquablement où la fille décide de rentrer seule, sur son vélo, par des chemins de traverse, c'est alors qu'il intervient. Oui. Une simple affaire de patience.*

Été 2005

Après avoir rissolé sur la plage, c'est délicieux de revenir par les sentiers ombragés, le bleu de l'océan perçant parfois entre les broussailles. Ses longs cheveux mouillés flottant dans le sillage de son pédalage, Mélusine remonte sa jupe à mi-cuisse pour que l'air s'y engouffre. À quinze ans, l'avenir n'est qu'une rallonge du présent. Mélusine compte dix minutes pour se doucher, se changer et dix de plus pour retrouver Lisa devant la mairie, avant six heures. Et si l'inconnu d'hier y est aussi, avec sa bague tête de mort et son crâne rasé, cette fois, elle lui répondra sans bafouiller. Elle en frissonne par anticipation.

Elle bifurque sur la droite, emprunte la départementale sur quelques mètres, se range sur le côté à l'approche d'une camionnette blanche qui la double à distance respectueuse et disparaît dans un virage. Mélusine traverse la route à nouveau déserte pour repartir par un autre chemin vers le croisement qu'elle n'aura plus qu'à traverser pour retrouver la maison de location où sa famille vient, tous les ans, pour les interminablement grandes vacances.

Cet été, elle arrête de se ronger les ongles. Lisa va lui donner un produit qui fait gerber quand on y passe la langue. Mélusine a dans sa trousse du vernis bleu pâle irisé. Avec des oncles rongés, ça le fait pas. Sa mère désapprouve mais il est tacitement entendu, pour Mélusine en tout cas, qu'en septembre, quand elle aura seize ans, elle pourra faire tout ce qu'elle veut : vernis, mascara, string, et talons aiguilles. Elle sera libre !

Elle conduit d'une main pour examiner la paume de l'autre pivotée vers elle. Les ongles trop longs, ça fait vulgaire. Il faut qu'ils dépassent un peu des doigts, comme ça… en découpe rectangulaire. Oui, ça, c'est classe.

Elle s'est contentée d'enfiler sa jupe et son tee-shirt par-dessus son bikini mouillé, le sel et l'humidité la démangent pour prix de sa flemme. Elle soulève ses fesses pour se gratter. Rongés jusqu'au sang, ses ongles glissent. Elle frotte avec l'articulation des doigts.

Nuque allongée vers le bas, double menton, commissures étirées, elle vérifie, droite, gauche, que les marques du maillot sont enfin visibles. Elle ne se fait pas un film. Le gars lui a demandé si le syndicat d'initiative la payait pour être aussi jolie. C'était une blague. Il a ajouté qu'il viendrait vérifier en personne qu'elle faisait bien son boulot. Il a même esquissé un petit signe de la main à hauteur d'épaule en s'éloignant avec ses deux potes. Le message était limpide, ont décrypté les deux amies après un long débat contradictoire : il proposait de la retrouver le lendemain. Et dans vingt minutes, elle y sera. Avec Lisa par précaution. Sa mère, institutrice dans le public, autoproclamée sévère mais juste, lui a appris à se méfier des inconnus. Qu'en pense la maman de Mélusine ? C'est la question préalable à toute autorisation de sortie de groupe.

Quand pense-t-elle ? corrige la fille qui excelle en orthographe et en insolence et n'avouera jamais à quel point sa mère et ses règles la rassurent.

Mélusine accélère pour le pur plaisir de dépenser son inépuisable énergie. Le chemin oscille sur la droite et, dans cinquante mètres, c'est le croisement après lequel commence la pente douce qui se prolonge jusque chez elle. Soit elle s'abandonne, les yeux mi-clos, dans un pédalage mou, soit elle prend un élan suffisant pour la mener sans effort jusqu'à l'entrée du village.

Elle ralentit pour négocier le virage, se hisse en danseuse au début de la ligne droite, et c'est alors qu'elle l'aperçoit. On dirait un gros bébé abandonné à la croisée des chemins. Il est assis par terre, les jambes repliées, la tête entre les bras. Ses chevilles gonflées sont aussi larges que ses mollets révélés par son pantacourt zébré violet. Il a réussi à dénicher un tee-shirt trop grand pour son buste colossal qui ondule comme une pyramide de pneumatiques. Il porte un bob trop petit sur le haut du crâne. Sa silhouette grotesque a quelque chose de comique qui le rend inoffensif. Un filet rouge coule de son genou. Il halète doucement comme un animal en souffrance. L'homme a eu un accident, il a l'air sonné. En dix petites minutes, elle peut donner l'alerte. Elle se doit d'intervenir.

Elle serre les freins, arrête son vélo, met pied à terre. Elle se sent très adulte.

– Ça va ? Vous êtes blessé ?

Un petit couinement lui répond et le gros homme enfonce sa tête encore plus profond derrière ses mains.

D'un coup de pied, elle dégage la béquille de son vélo, en assure la stabilité, la roue avant à l'oblique, et s'approche du blessé. Elle sature sa voix de gentillesse rassurante :

– Vous avez besoin d'aide ?

Nous sommes tous entourés d'un périmètre de sécurité ou de danger, c'est selon, dans lequel on ne pénètre que par intimité ou agressivité. En franchissant cette barrière invisible, Mélusine entend une alarme intérieure qui arrête net son mouvement. L'inconnu lève alors le visage. Ses yeux d'un gris délavé commencent par balayer les alentours avec une vivacité étonnante pour un accidenté, Mélusine amorce un repli vers son vélo. Une main lui broie la nuque, une autre se plaque sur sa bouche. Elle étouffe et plisse les paupières sur l'image de sa mère guettant son retour depuis le balcon du premier. Elle essaye de crier, rentre les épaules, quand l'inconnu aboie d'une voix sèche et autoritaire :

– Ta gueule !

Le corps frêle et gorgé de soleil de l'adolescente se raidit, glacé, quand il la presse contre lui, son bras droit en crochet contre la gorge délicate. C'est un colosse, c'est l'ogre des contes. Il la domine de toute sa taille, de toute sa chair flasque et épaisse. Il sent la sueur, l'excitation et la saleté, un mélange répugnant et toxique. Elle hoquette sur la bile qui attaque son palais mais l'emprise de l'homme est telle que ni liquide ni air ne passent plus. La peur lui neutralise les sens, lui contracte les muscles, en un instant, tout son corps est anesthésié. Les larmes lui montent aux yeux, la peau de ses joues tremble, son cœur hésite entre arrêt total et accélération.

L'homme chuchote dans son oreille :

– Si tu l'ouvres, je te massacre. Compris ?

Elle essaye de hocher la tête. Il relâche la pression sur sa bouche et elle pousse de pauvres couinements aigus. La main énorme s'abat à plat sur sa joue ; la douleur et l'étonnement après le claquement si sonore qu'il semble résonner en un écho interminable suffisent à la faire taire. Les paupières serrées sur son refus de voir, de savoir, elle est soulevée du sol, se débat, donne des coups de pied contre le vide. L'homme resserre le coude sous le menton de la fille qui s'affaisse mollement. De sa main libre, il récupère le vélo et le traîne derrière lui, laissant le corps flasque bringuebaler contre sa hanche. Il traverse le sous-bois, râle quand le vélo se coince entre deux troncs, parvient enfin à la clairière où son van l'attend. Il jette le vélo à l'arrière, attrape un rouleau noir suspendu à un panneau aménagé sur la paroi interne du véhicule. D'un coup de ciseaux il détache un morceau d'adhésif plastique d'une vingtaine de centimètres qu'il colle sur la bouche de la gamine inerte, noue dans le dos les petites mains aux ongles rongés. Il la préférerait consciente et réactive mais son impatience l'emporte. Il relève le tee-shirt pour dégager le soutien-gorge qu'il fait glisser vers le haut. La poitrine est à peine formée. Il préfère. Les gros seins l'oppressent. Il triture les petits tétons roses, puis enfouit ses gros doigts sous la jupe, cherche l'entrée entre la peau et le slip de bain. Le duvet est doux. Il glisse son autre main sous son pantacourt qui gonfle doucement sous le va-et-vient de son poignet. Il s'interrompt. Dans la bouche étroite de la gamine, ce sera mieux, ce sera partagé, ce sera fort.

Il repousse le corps inerte, replie les jambes qui dépassent de l'habitacle. Il jette une bâche tachée de peinture sèche sur la bicyclette et sa propriétaire, claque la portière et démarre.

La camionnette blanche se perd dans la tranquille circulation de cette fin d'après-midi, traverse le village d'Octeville où les parents de Mélusine vont bientôt entamer leur vaine attente, mais l'homme n'y pense pas plus qu'à la fillette dont il serait incapable de seulement décrire le visage. Non, il se repasse inlassablement le rituel à venir quand la fille aura repris ses esprits. Il croit se rappeler qu'elle a une bouche de suceuse.

2

Procès de Jean Chardin

Le tribunal d'assises évoque la coque en bois blond d'un immense navire immobile où jamais ne pénètre l'air du grand large.

La présidente en charge a la quarantaine, des lunettes de fine écaille, le visage avenant et une clarté de diction qui permet à tous d'entendre chaque mot de ses interventions. Irritée, elle rabat derrière son oreille une mèche de ses cheveux mi-longs d'un roux artificiel mais sa voix ne laisse rien filtrer. C'est une professionnelle. De tous les intervenants, elle semble être la seule à maîtriser l'usage des micros. L'avocate de la victime s'éloigne du sien pour s'exprimer. L'avocat général tonitrue à quelques centimètres au-dessus et celui de la défense parle d'un côté ou de l'autre, jamais dedans. En l'occurrence, c'est sur la gauche, tourné vers l'accusé, à qui il demande d'expliquer pourquoi, après l'agression, il a changé d'itinéraire, alors qu'à l'aller, il avait logiquement choisi le chemin le plus court.

La présidente plaque sa mèche avec vigueur et intervient d'un ton placide :

— Maître, si le motif de votre intervention est de démontrer qu'il n'y a pas eu préméditation, nous perdons notre temps. La préméditation n'a pas été retenue et ne le sera pas.

— Ce détour, madame la présidente, trahit l'affolement après un acte impulsif, c'est-à-dire le contraire du sang-froid induit par l'accusation à chacune de ses interventions.

L'accusé est avachi sur son fauteuil, un cachalot échoué, inerte et essoufflé pourtant, comme si la graisse lui écrasait le cœur et les poumons. À moins qu'il ne soit ému.

Il porte des lunettes cerclées de métal aux verres rectangulaires fumés. Ses yeux sont petits et gris pâle, ses cheveux gris et drus sont coupés court, son front dégarni. Ses épaules seraient puissantes si elles n'étaient enchâssées dans une enveloppe flasque qui entrave ses articulations, son ventre ondule en bouées successives. Un colosse mou. Son regard furète, incertain. Ses mains larges et potelées reposent à plat sur la tablette devant lui. Il se dégage de sa personne un mélange détonnant d'intelligence, de puissance et de défaite.

— Levez-vous, monsieur Chardin, et répondez à la question.

L'accusé se hisse en appui sur sa tablette. Il soupire sans intention particulière, épuisé, dirait-on, par ces mêmes questions sans cesse posées depuis le début de l'audience. Il se débat contre la tige du micro. Dès qu'il réussit à caler devant ses lèvres le petit bloc noir, il le repousse d'un geste vif, avant de le ramener à lui, inlassablement. Sa voix harmonieuse et posée semble appartenir à quelqu'un d'autre :

– J'étais, comment, en vacances, j'ai allumé la télé et j'ai vu qu'il allait faire beau, alors, j'ai décidé d'aller à la plage. Je me suis baigné et je suis resté un moment au soleil. Il y avait, comment, pas beaucoup de monde, je n'ai pas vraiment fait attention. Je nageais.

– Vous n'étiez pas en… repérage, si j'ose dire ?

– Non, non.

Une pointe d'indignation colore la double négation.

– Parce que, vous le savez bien, vous avez été jugé pour des faits similaires. Certains endroits sont dangereux pour vous, là où on peut trouver des jeunes filles dénudées. Piscines, bords de mer, plages, colonies de vacances.

– Non, non, comment, je sais cela. Là, c'est juste, c'était mes derniers jours de vacances, il faisait chaud et j'étais déjà venu là, gamin, avec mes parents et je voulais retrouver cette atmosphère-là. Quand, comment, ça allait. Bien.

Il s'interrompt, rêveur, le paradis perdu à portée de main.

– Vous voulez dire que c'était la plage de votre enfance ?

– Non, non, je veux parler de ma décision de prendre le chemin de bord de mer…

– Qui est beaucoup plus long par rapport à la route.

– Oui, mais j'étais en vacances, je n'étais pas pressé.

La présidente demande à la greffière de projeter le plan des lieux pour que les jurés en aient une représentation précise.

– C'est bien là, à l'intersection de la nationale, entre Fouras et La Rochelle, que vous vous engagez sur la route de bord de mer.

– Oui. Enfin, le chemin. Ce n'est pas du macadam.

– Et, c'est quoi, cinquante mètres plus loin, à la prochaine intersection que…

– … que je vois le vélo, oui, et que… comment…

– Oui, comment?

– Que je décide de le suivre.

– Ce n'est pas que le vélo, monsieur Chardin. Qu'est-ce qu'il se passe, à ce moment-là, dans votre tête?

– Euh, la… comment, victime est en short avec un tee-shirt, elle a les cheveux mouillés.

– Vous voyez qu'elle est jeune, très jeune.

– Ça, non, elle a l'air, elle pourrait avoir dix-neuf, vingt ans.

– Continuez.

– Alors, je la dépasse, je dépasse le vélo et cinq cents mètres plus loin, je tourne à droite au croisement pour me garer.

– Voulez-vous nous indiquer sur l'écran l'emplacement exact?

Jean Chardin s'approche de l'écran de droite et pointe du doigt.

– Vous connaissiez l'endroit?

– Euh, non.

La présidente déplace une règle sur le plan posé devant elle, ses indications répercutées par le vidéo-projecteur sur les deux écrans de part et d'autre de la salle.

– Parce que, ici, nous avons un bosquet qui cache en partie le véhicule, là, un bouquet d'arbres avec une ouverture suffisante pour entrer dans le champ qui est parfaitement à l'abri des regards. Et vous vous y retrouvez par hasard?

– Oui, enfin, non. C'est parce que j'ai croisé la victime à cet endroit. Si je ne l'avais pas croisée, je serais rentré chez moi comme prévu. Après, je suis descendu de voiture.

– Vous avez fait quelque chose avant de quitter votre véhicule?

– Euh, oui, j'ai pris mon slip de bain et je l'ai mis, comme un, comment, comme un masque ou une cagoule.

– Vous portiez toujours vos lunettes de soleil, les lunettes jaunes?

– Euh oui.

– Ensuite…

– Quand la victime est arrivée, je l'ai arrêtée.

– Vous l'avez fait tomber?

– Non, non, j'ai attrapé son épaule et j'ai retenu le vélo que j'ai posé contre un arbre. Après, j'ai entraîné la, euh, victime…

– Vous saviez où vous alliez?

– Non, non, mais j'avais peur que quelqu'un arrive. Après, je lui ai dit de se coucher…

– Avant ça, vous ne l'avez pas menacée?

– Ben je lui ai mis la main sur la bouche pour pas qu'elle crie parce qu'elle avait commencé à crier.

– Et vous lui avez dit quoi?

– Euh, « Tu vas la boucler? ».

– Et après, vous ne lui avez pas posé de questions?

– Si, je lui ai demandé si elle était vierge. Elle a dit oui. Ah oui, elle avait fait tomber son portable et je lui ai dit de le chercher, et après, je l'ai jeté.

– Continuez.

– Après, je me suis mis sur la victime.

– Comment ? Assis ? Couché ?

– À califourchon.

Le compte rendu laborieux continue, question après réponse, après question. Le tee-shirt relevé, le haut de maillot relevé, le tripotage, et puis l'ordre impérieux : « Suce ma bite. »

Et la victime disant qu'elle ne sait pas, elle n'a jamais fait ça. Il bégaye son récit réticent, que la présidente l'oblige à détailler, jusqu'à la phrase finale : « Avale. »

Là, quelque chose s'enraye. Son débit s'accélère. Il passe vite sur son départ, arrive à la camionnette.

– Et la ficelle ? demande la présidente.

– Ah oui, la ficelle bleue. Je l'ai attrapée et je l'ai jetée.

Il voulait attacher la victime ?

Il ne sait pas trop, c'était un bout de ficelle qui traînait là.

Il se tait et la présidente reprend de sa voix à la fois douce et autoritaire :

– Je ne vais pas dire des choses agréables, mais pourquoi ramasser la ficelle si ce n'est pour attacher mademoiselle Delcourt ?

– Si ça avait été une corde, je peux pas dire… Mais là…

– Vous ne vouliez pas la transporter ailleurs ?

Dénégation violente en dépit de la graisse qui lui engonce le cou.

– Là, vous emportez son short et son maillot de bain. Pour retarder son départ et ses appels au secours ?

Il ne sait pas. Il imagine que oui.

– Vous imaginez ?

Le ton de la présidente fait écho à la mimique exaspérée de l'avocate de la victime. Il s'excuse. Certains éléments restent flous dans sa mémoire. Mais oui, il part en lui gueulant qu'elle ne bouge pas de là avant un bon moment. Après, il reprend sa camionnette, il repart sur la nationale. Finie la promenade de bord de mer.

Oui, il s'arrête pour prendre de l'essence. Il rentre chez lui.

– Et pour vous débarrasser des vêtements de votre victime ?

– Oui, aussi.

– Où ça ?

– Euh, dans la rivière.

Il n'est plus sûr exactement. Il est désolé. Et une fois rentré chez lui, il essaie de se tuer. Les phrases s'enchaînent en un flot monotone. Pendant toutes ces années, il a résisté, parce que, des occasions, il en a eu, on peut le croire, parce que, des occasions, il y en a toujours mais il a résisté et là, voilà, il a recommencé, et si ça recommence, peut-être que ça ne finira jamais. Il se sent maudit. Il ouvre la bouteille de gaz et il s'allonge par terre à côté. Et se réveille, au matin, parce que la bouteille de gaz était presque vide. Et que de toute façon, il rate tout, toujours. Que même la mort ne veut pas de lui.

Quatre jurés le scrutent sur cette phrase.

– Après ? poursuit la présidente, imperturbable.

Eh bien, après, comme tous les dimanches il a retrouvé ses parents chez sa sœur et son beau-frère et ils ont passé la journée ensemble. Et le lundi, il reprenait le boulot dans le garage où il travaille. C'est là que la police l'a arrêté. Et maintenant, son père ne veut plus lui parler et sa sœur a honte et il n'y a plus que sa mère qui vient le voir au parloir, conclut-il.

– Mais pourquoi cette fois-là, cette «occasion»-là, vous n'avez pas réussi à résister?

– C'est une impulsion, c'est comme si je devenais quelqu'un d'autre, un animal quoi. Ça ne raisonne plus. C'est, comment, des automatismes.

– Quand vous enfilez un slip comme une cagoule, c'est pour ne pas être reconnaissable. Pour ne pas vous faire prendre. Il y a du raisonnement là-dedans.

– C'est peut-être pour me cacher aussi, parce que j'ai honte aussi.

– Est-ce que vous avez prononcé cette phrase : «Je suis désolé»?

– Oui.

– C'était après l'histoire du portable. Avant même de faire quoi que ce soit, vous dites que vous êtes désolé, c'est du raisonnement ça.

– Non, c'est parce que je n'ai pas pu me retenir et c'est vrai que j'aimerais être sûr que, comment, ça n'arrivera plus jamais. Je le croyais et, quand même…

– Vous avez trente-neuf ans. Vous êtes un homme intelligent. Vous avez été jugé et condamné pour des faits similaires et vous recommencez vingt ans après. Vous n'avez rien appris, rien compris?

– Si, je croyais que si. Après tout ce temps justement. Désolé, je le suis. Sincèrement. Même si ça ne réparera pas pour la victime les conséquences. Je suis conscient d'avoir détruit cette jeune fille.

– Et cet ordre, «Avale», ça, ça vient directement des

films pornographiques que vous regardez. Que vous n'avez jamais cessé de regarder?

Il hausse les épaules.

– Et cet ordre d'avaler, c'est pour ne pas laisser de traces, vous y pensez déjà aux traces ADN.

Haussement d'épaules.

– J'en ai laissé.

– Sans le savoir. Sans le savoir, monsieur Chardin. Les films pornographiques, c'est pour vous masturber?

Nouveau haussement d'épaules.

– Ma sexualité est inexistante, euh, habituellement. Je n'ai jamais rencontré la femme qui aurait pu m'accompagner.

– Justement, qu'est-ce que vous faites pour en rencontrer?

– La seule que j'ai rencontrée, on est sortis une fois ensemble et après elle n'a plus répondu à mes appels.

La présidente insiste. Les échecs, cela arrive à tout le monde. Faut-il se décourager pour si peu?

– Non, non, elle ne m'avait pas trouvé à la hauteur.

L'avocate de la victime intervient :

– Il existe des femmes qui font un métier difficile, on les appelle des prostituées. Pourquoi ne pas faire appel à des femmes comme elles pour vous soulager?

L'obèse secoue la tête. L'idée de payer pour l'amour est totalement insupportable. C'est méprisant.

– Et soumettre une femme par la violence, ce n'est pas méprisant?

– Non. Je sais que vous ne pouvez pas comprendre, mais non.

– Et l'affaire du portable. Ça ne s'est pas passé exactement comme ça, non?

Il réfléchit, sincèrement perplexe. L'avocate le guide :

— Il n'est pas tombé par terre par hasard ou par accident, non ?

— Ah oui, dit-il avec une bonne volonté évidente, pardon. La victime m'a dit : « Tenez, je vous le donne. C'est tout ce que j'ai. Vous n'avez qu'à le prendre. » Et quand elle me l'a tendu, comme je la tenais par le cou, sa main a cogné contre ma hanche et le téléphone est tombé. Je suis désolé vraiment. Je n'aurais jamais dû croiser, comment, euh, cette femme.

Il soupire, secoue la tête, affligé d'un tel manque de chance.

— Cette jeune fille, monsieur, cette jeune fille, corrige l'avocate de la victime.

Ladite jeune fille est assise à droite de son conseil. Ses longs cheveux blonds forment un rideau derrière lequel elle s'est retirée tout le long de l'interrogatoire, dos appuyé contre le dossier, tête baissée, attentive et absente simultanément. C'est à son tour de témoigner. Elle se lève lentement et vient se placer au centre derrière la barre, face à la présidente qui parle doucement, posément :

— Vous avez manifesté votre lassitude de raconter et raconter sans cesse, depuis deux ans, le récit de votre agression. Il va falloir recommencer, pour la dernière fois, j'espère, et je tâcherai d'être aussi brève que possible. Veuillez décliner vos noms, âge et qualité.

— Je m'appelle Isabelle Delcourt, j'ai dix-neuf ans et je suis étudiante.

3

TRÈS RAPIDEMENT après l'agression, la mère d'Isabelle se met en quête d'un avocat pour représenter sa fille au procès de Jean Chardin. Isabelle veut le choisir elle-même. Un casting est organisé.

Le premier avocat considéré est un homme d'une soixantaine d'années, aguerri et chaleureux, bonhomme et, selon sa réputation, redoutable dans un prétoire. Il est également imbu de lui-même selon Isabelle et n'écoute pas, sauf lorsque c'est lui qui parle. Éliminé.

Le deuxième candidat est une femme ronde et maternelle, le contraire de ce que souhaite Isabelle.

La future élue est la dernière de la liste, Agnès Damboise. Le rendez-vous a lieu à son cabinet parisien. Isabelle est sensible au décor simple et élégant. Un seul tableau dans le bureau, un portrait à moitié effacé où domine un regard d'anxiété et de puissance. La pièce pue le tabac. Ni compassionnelle, ni vindicative, frêle et costaud en même temps, elle a l'âge d'une grande sœur et elle s'exprime clairement sans jargonner.

Dès ce premier rendez-vous, une fois les enjeux assimilés, Isabelle décide qu'elle et elle seule sera partie civile, qu'elle et elle seule aura accès au dossier. Les prochains rendez-vous se dérouleront sans Claire.

Comme elle l'explique à son avocate après que celle-ci a examiné le dossier :

– Ça m'est arrivé à moi. Il n'y a que moi qui puisse… Moi, je sais… je ne peux pas dire autrement. Moi seule sais. Ma mère le comprend très bien.

Agnès Damboise, appuyée contre le dossier de son fauteuil, les doigts croisés devant elle, index joints, évalue Isabelle. En règle générale, l'avocate préfère être du côté de la défense, les victimes la gavent. Mais cette jeune fille est particulière, elle est tout sauf passive. Elle ne se lamente pas, elle est intelligente et fière. Pas bavarde. Elle lui plaît. Encore faut-il qu'elle mesure l'épreuve qui l'attend.

– Vous allez devoir prendre la parole au tribunal, pas seulement témoigner.

– Oui.

– Et répéter encore le récit des faits.

– Une fois de plus ou de moins…

Petit sourire esquissé.

– Vous voyez quelqu'un ? Je veux dire un psy ?

Grand soupir.

– Oh oui. Ma mère ne m'a pas laissé le choix.

– Elle a raison.

Petite moue dubitative d'Isabelle, qui ne commente pas.

– Ce n'est pas rien. Ce qui vous est arrivé.

Sourire ironique.

– Je suis bien placée pour le savoir.

– Et avec l'ami de votre mère, comment ça se passe ?

– Yann ? Discret. Gentil. Présent. Pas lourd. Dans le genre, elle aurait pu choisir pire.

– Votre mère m'a dit que vous n'aviez pas de petit ami.

– Son obsession ! J'en aurai quand j'en aurai envie.

– Et vous ne pensez pas que ce qui s'est passé va rendre cette éventualité plus délicate ?

– Je n'en sais rien et pour l'instant la question ne se pose pas. Vous pensez aux dommages et intérêts ?

Agnès Damboise ne peut retenir une exclamation amusée :

– Décidément, on ne vous la fait pas !

– On ne me la fera plus, en tout cas, ça, c'est sûr, énonce-t-elle d'un air trop solidement farouche pour être risible.

Quand elle évoque les faits eux-mêmes, Isabelle parle avec une étrange neutralité directe, concrète, et s'en explique :

– C'est une barrière nécessaire. Je fais comme si c'était arrivé à quelqu'un d'autre tout en sachant que c'est à moi que c'est arrivé. Mais une chose est sûre : ce type-là ne détruira pas ma vie. Même, il ne l'affectera pas. La seule idée qu'un type comme lui puisse déterminer mon destin m'est insupportable. Je dois rester à distance ! Sinon, je replongerai dans son monde dégueulasse où je n'ai rien à faire.

L'avocate, inhabituellement, en reste sans voix. La pensée de sa cliente est juste, mais son volontarisme fait un petit peu peur. Elle présume peut-être de sa résistance. Mais sa personnalité a de quoi impressionner. Les gendarmes l'ont été, les jurés le seront aussi.

Quand l'avocate revient sur la présence ou pas de Claire pendant les débats, Isabelle, avec une moue de dégoût, constate qu'il est impensable qu'elle partage ce truc-là avec sa mère. Ça rendrait tout beaucoup plus pénible.

Les rapports d'Agnès Damboise avec sa génitrice sont tendus à l'extrême. Qu'on puisse se passer de l'appui maternel lui semble parfaitement rationnel. Mais c'est son boulot de rassurer aussi les proches, surtout quand c'est eux qui payent. Claire Delcourt rechigne à l'idée que sa fille puisse se passer d'elle et demande d'un ton presque agressif s'il est habituel qu'une victime de viol se coupe ainsi de sa famille.

– Non, c'est totalement inhabituel. Mais je crois que votre fille est quelqu'un d'inhabituel et qu'il faut lui faire confiance. Quelque chose la tient. La décision de n'être pas victime mais actrice de sa vie, ça, c'est sûr. Mais autre chose, peut-être comme elle l'a dit elle-même : sa détermination que ça n'arrive pas à d'autres. Et elle ne se coupe pas de vous. Elle veut que vous soyez présente. Mais pas au tribunal.

Cette conversation convainc Agnès Damboise du bon instinct de sa cliente. Claire Delcourt est nerveuse, anxieuse et anxiogène. Soucieuse de bien faire. Elle fera un bon témoin mais sa présence au quotidien risquerait d'entraver Isabelle.

L'avocate est confortée dans son préjugé favorable à l'égard de sa cliente. En dépit des circonstances, elle fait preuve d'un jugement sain et d'un bon sens surprenant. Ses prescriptions méritent d'être prises en compte même si maître Damboise les aménage à sa façon. L'avocate est assez aguerrie pour faire preuve d'autorité quand elle le juge nécessaire. Elle reste cependant très attentive à tout ce que la jeune fille exprime spontanément sur son agresseur. Après tout, Isabelle Delcourt est la personne qui connaît Jean Chardin le plus intimement.

4

E N 1984, le vieux, comme Jean Chardin et sa sœur
appellent affectueusement leur père, fait l'acqui-
sition de son propre commerce de boucher traiteur.
Monsieur Chardin n'a pas son pareil pour évaluer une
bête sur pied, la négocier et la traiter, son épouse est
présumée habile en comptabilité. Après une liesse
peu caractéristique, la folie des grandeurs a saisi la
famille : une cuisine neuve, un bar en cuir, une télé
grand écran, une salle à manger complète avec son
buffet, le tout en modèle extra-large. Il suffit de voir
son époux pour comprendre que madame Chardin
aime le monumental.

Deux ans plus tard, la boucherie Chardin et ses promesses d'aisance économique synonyme de bonheur
cèdent la place à un endettement à long terme. Le
vieux est courageux, il a confiance en Chirac enfin
revenu aux affaires. À l'image de son héros réduit
à un poste subalterne sous son rival plus heureux,
monsieur Chardin accepte de rétrograder au poste
de commis chez monsieur Lampion, lequel a offert
à son employé le logement que la famille est en train

d'investir et qui semble d'autant plus étriqué qu'on y a enfilé au chausse-pied le mobilier existant, monumental donc et ne valant plus un clou cinq ans plus tard. « On fait avec », pourrait être la devise familiale résignée.

Jean a quinze ans, sa sœur dix-huit en ce jour où ils considèrent le désastre économique de leur nouvelle vie. Rigolarde, Françoise lance à son frère :

— Dans la famille Lapoisse, je demande… le fils !

— J'ai ! s'exclame le garçon, ragaillardi.

— Je vous le confirme, Jean Poisse et des meilleures, car voici la chambre de princesse que je me suis attribuée à l'unanimité.

L'espace que la jeune fille pointe avec emphase est un goulot entre deux excroissances, un couloir un peu large qui relie la chambre parentale et le cabinet de toilette sans porte.

Sans excès de vitesse, le tour complet de l'appartement s'exécute en cinq minutes. Il suffit de trois enjambées à Jean pour rejoindre la « grande » chambre, il tourne à angle droit dans le couloir de sa sœur, la salle d'eau et rien, un mur devant lequel l'adolescent s'arrête et questionne d'une voix blanche :

— Et moi ?

Sa mère arrive de l'extérieur en tirant derrière elle une grosse valise contenant la garde-robe familiale.

— On va mettre un rideau.

— Où ?

— Ben là !

Elle indique la chambre d'un geste vague.

— Daniel nous donne son vieux clic-clac. Ça s'ouvre comme un rien. Mon gros bébé sera comme un prince.

Un optimisme contre nature l'envahit. Il n'a peut-être plus de chambre à lui mais ils restent tous soudés face à l'adversité, ce qui est, comme qui dirait, une spécialité familiale.

Jean aimerait que sa mère arrête de l'appeler son gros bébé mais il craint de lui faire de la peine, un dilemme ancien et jamais résolu. Il connaît sa chance d'avoir des parents comme les siens. La vie a beau être injuste, on ne s'en plaint pas. C'est comme ça. Lui et sa sœur ont été élevés comme ça. Alors, Jean n'avouera à personne qu'il vit dans la terreur de cette déveine qui leur colle aux talons.

Madame Chardin est en train d'accrocher dans la penderie de la chambre ses trois robes à fleurs, les jeans XXXXL de son mari, difficiles à dénicher, c'est un de ses petits sujets de fierté.

– Donne donc à goûter à ton frère, ordonne-t-elle.

La vie de Jean ressemble à une succession de gavages que séparent de vagues temps morts. Au seul mot de goûter, les sucs réflexes de l'appétit envahissent son organisme. Une bonne rasade d'Oasis pour ouvrir la voie et d'épaisses tartines de rillettes. Il préfère le salé.

– On ne risque pas de manquer, pour ça, il est sympa, le patron de papa, se réjouit Françoise, qui considère que l'herbe ailleurs n'est jamais aussi verte qu'à la maison.

Jean hoche la tête. Aussi loin que remontent ses souvenirs, la présence de sa sœur suffit à dissiper la mélancolie embusquée. Ça fait drôle d'entendre parler du patron de papa qui en était un, hier encore. La vie fait et défait à sa guise.

Lui dirigera la sienne, il ne sait pas comment, il ne sait pas où, mais il a la tête organisée pour ça. Des études d'ingénieur par exemple parce qu'il est bon en mécanique.

Françoise baisse la voix pour lui dire son secret :

– On va se fiancer avec François.

François Dubrovski est un type top, comme disent les Chardin les jours de légèreté, un gars du Nord qui a planté ses racines en Normandie. Jean ne perdra pas sa sœur.

Il retient la question qui lui brûle les lèvres. Est-ce que sa sœur a déjà fait l'amour ? Il a vu au cinéma comment François lui pelotait les seins qu'elle a aussi énormes que sa mère. C'était un film d'action, *Terminator*. En dépit de sa fascination pour Schwarzenegger et de la bande sonore tonitruante, son oreille fraternelle isolait et amplifiait les bruits de succion, respiration, les frottements de tissus. Il aimerait savoir comment c'est de faire l'amour. Sauf qu'une fille, c'est pas pareil. Heureusement, sa sœur le lit comme un livre ouvert, ce qui simplifie la vie.

– Et toi ? Quand est-ce que tu vas te trouver une fiancée ?

Il hausse les épaules, horriblement gêné.

– Un beau garçon comme toi...

– Te fiche pas de moi.

– Ben si, c'est vrai.

Ses yeux tendres, son ton affirmé ont le pouvoir magique de révéler le jeune garçon svelte et charmeur enfoui à l'abri des regards sous sa timidité. Il se sent aérien, riche d'un avenir grand ouvert.

– Tu es trop timide. Les filles, elles aiment bien les

gars entreprenants. Et puis, tu as des choses à raconter. Avec tous les livres que tu lis. Tu vas les hypnotiser. Une cruche blonde, analphabète, ça te dirait pas ?

– C'est toi qui es hyper-alpha-bête, même pas blonde !

S'il rencontrait une femme comme sa sœur avec qui rire, qui saurait le mettre à l'aise… Il s'imagine à la place de François, en train d'embrasser la bouche en cœur familière, de glisser la main entre la peau et le sous-tif, mais ça ne marche pas, ça le gêne, ça le dégoûte même. Parce que c'est sa sœur en plus d'avoir des trop gros seins. Il n'ose pas davantage s'imaginer avec les filles du lycée parce qu'il a l'impression que les autres voient ce qu'il a dans la tête, qui n'est pas toujours joli joli. Une idée inopinée vient salement le contrarier.

Le rideau dans la chambre, ça veut dire qu'il ne pourra plus… La salle de bains qui ne ferme pas, ça laisse les cabinets. Tu parles comme c'est pratique.

Françoise lui passe la main en essuie-glace devant les yeux.

– Reviens, t'es parti où ? Dis donc, tu me cacherais pas quelque chose, toi ? Je te parle de fille, de fiancée, et hop, tu sautes au fond du puits.

Il hausse les épaules avec le sourire réflexe qu'il oppose à tout ce qui l'embarrasse.

– Je n'ai pas rencontré de fille qui me plaise et puis je suis trop jeune.

– L'année prochaine, je vais te trouver un joli petit cas social, du sur mesure, tu veux ? Une cause perdue d'avance, genre mère célibataire au chômage avec un problème de dope et quatre enfants, car ce qui est fait n'est plus à faire.

Elle le connaît bien. Au fond, c'est ce qu'il aimerait, une fille dont personne d'autre ne voudrait et qui lui serait infiniment reconnaissante, pour toujours. Qui dépendrait de lui en tout.

Jean admire absolument sa sœur, peu importe qu'elle ne soit pas belle. Avant la puberté, Françoise était une petite gamine efflanquée avec les genoux osseux et les coudes saillants, aujourd'hui c'est une grosse barge chargée à ras bords qui avance de sa démarche chaloupée. Qui avance. C'est ça qui compte. Elle termine un stage d'assistante sociale et s'est dégotté un fiancé d'un mètre soixante-douze pour soixante-cinq kilos qui la prend telle que. Comme quoi, il y en a pour tous les goûts. Pourquoi lui qui est gentil et intelligent n'y arriverait-il pas ?

Un pas lourd dans l'escalier étroit annonce l'arrivée du chef de famille. Chardin père pousse la porte d'entrée en appelant :

– Y a quelqu'un ? Ça va, les enfants, maman est là ?

Poser des questions qui n'impliquent pas de réponse, c'est sa façon à lui.

Les quatre Chardin en place, la preuve est faite d'une exiguïté qui va empêcher tout isolement, ce qui présente des avantages, pense Jean, que la seule idée d'abandon pétrifie de terreur.

Il y a toujours un envers à la plus belle des médailles. Cette première nuit, dans leur nouvel appartement, Jean fixe le rideau composé de deux dessus-de-lit mis bout à bout. La lourde toile ondule entre les anneaux, laissant des interstices béants. En tension sur le fin matelas du clic-clac, l'œil au plafond, il guette la lumière vite éteinte du chevet conjugal, puis le froissement des draps, le tintement des ressorts, ne peut s'empêcher de visualiser les corps de ses parents dénudés, espère le ronflement paternel qui ne vient pas, se résigne quand son père insiste malgré les protestations chuchotées de sa mère :

– Il dort, j'te dis. À son âge...

Un léger ricanement, des grognements, des soupirs retenus, le matraquage du matelas, les ressorts qui couinent, de plus en plus sonores, le cri d'agonie retenu, un bisou claqué, un «bonne nuit» chuchoté et, enfin, les ronflements libérateurs.

Ça pourrait être son tour mais c'est tout bonnement impossible de se laisser aller en retenant son souffle, en alerte vive, tous les sens en éveil.

Il dort mal. Cette première nuit. Il dort mal. Après, il saura attendre le moment propice. C'est une question de patience.

5

Trois ans. Il a tenu trois ans quasiment jour pour jour depuis l'Espagne. Une occasion du genre qui ne se refuse pas, qu'il a mise sur le compte de l'exotisme, des potes, de la chaleur. Dont il a entretenu le souvenir comme on respire un flacon vide où traînent les effluves d'un parfum entêtant. Il ne s'est jamais interdit les virées à la plage. Il aime l'eau, il aime le soleil Pourquoi se priver de plaisirs innocents ? Au retour du Cap-Ferret, il a suffi d'une halte au Pyla et des sautillements de la petite crevette blonde pour être repris. Il s'en remet à la vie. Il attend. Il verra bien. Il est tranquille. Et vide.

Été 2001

Pour ses dix-sept ans, Jeanne a reçu un vélo électrique et décrété qu'elle le laissait à sa mère, merci bien. Le cadeau est typique de Victoire, cher, paresseux et hors sujet. Jeanne aime sa vieille bicyclette rouge qui le lui rend bien. La preuve, elle va tenter un retour jusqu'au Pyla, sans toucher le guidon. Elle connaît le chemin par cœur. Il y aura bien la grand-route à traverser mais s'il n'y a pas trop de circulation, il lui suffira de ralentir jusqu'à ce que la voie soit libre. Les autres ne rentreront pas de la plage avant deux ou trois heures, le temps de déguster son *Voici* dans le salon, en regardant la télé sur grand écran. Il y a un article sur Tom Cruise. Elle sait tout de lui, de son couple, ex-couple. Divorcé, le Tom, à nouveau sur le marché. Il est sur le tapis rouge, elle est dans la foule, leurs regards se croisent. Il fait un signe, les gardes du corps s'effacent, elle marche jusqu'à lui.

Avec les mecs, la technique est simple : soutenir leur regard. C'est du langage sans les mots, comme les animaux. À dix-sept ans, le corps potelé, le tatouage au bas des reins à la lisière du bikini, elle assure. Pas de seins mais elle triche, sous-tifs rembourrés. Plus tard, elle s'en fera faire. Comme les actrices. L'autre technique, c'est de se laisser tomber plouf à côté du mec, soi-disant par hasard. Un chouette de hasard. Jeanne Chouette de Hasard, c'est son nom. Un jour, elle sera aussi destroy qu'Angelina Jolie. Porter le sang de son mari en pendentif, c'est dément, comme dans un film de vampires. Le genre qu'elle adore.

En attendant de tomber Cruise, elle va se faire un type par soir. Un vrai défi dans ce trou bourgeois d'Arcachon. C'est pas grave, c'est que du jeu. Aujourd'hui, elle s'est pris un râteau. Il portait un bermuda rose, elle aurait dû le voir venir. Le voir pas venir. Ce serait pas drôle si ça marchait à tous les coups.

La tête de sa mère quand elle a découvert la petite chaîne de fleurs au ras des fesses avec le cœur au milieu ! Trop tard, ma vieille, on rembobine pas le film, indélébile le tatouage. Ferme ta bouche et avale ! Son argent de poche augmente à la demande tous les trois mois. Faut bien qu'il serve à quelque chose. Jeanne a le pouvoir, c'est comme ça.

À quatorze ans, elle est en train de s'embrouiller avec une copine au portable. Sa mère entre dans sa chambre sans frapper.

— Jeanne, le dîner est servi ! Ça fait trois fois !

— J'avais entendu ! Je suis au téléphone si t'as pas vu et j'arriverai quand j'aurai terminé, merci !

Elle n'en revient pas que Victoire ressorte sans un mot. Elle pousse son avantage, elle gueule « La porte ! » et sa mère referme sans moufter. C'était cool. C'est ce qu'elle dit toujours : « Mes parents sont cool. »

Et riches, comme elle ne le dit jamais. Sa mère dirige un labo pharmaceutique, son père est chirurgien. Sa sœur, Pauline, demi-sœur, de dix ans son aînée, finit sa médecine comme papa. Elle bosse comme une malade comme papa et elle a son propre appartement, sa propre vie, et Jeanne ne lui adresse plus la parole depuis qu'elle a cafté six mois plus tôt quand elle l'a surprise dans leur maison du Pyla en train de baiser avec un super type qui l'avait repérée à la sortie du lycée, vingt-huit ans, Ray-Ban quelle que soit la météo. Dans son studio, c'était autre chose que les flirts avec les boutonneux de sa classe, il savait y faire, et en plus, il était devenu son fournisseur de beuh. Elle s'était toujours sentie plus mûre que son âge et Dan lui disait pareil : qu'elle faisait vachement plus que son âge. La preuve, il l'avait tannée pour qu'ils se fassent un week-end en bord de mer, tête à tête… si on peut dire. Sauf que Pauline a débarqué le même week-end, pas de chance, a fait un souk d'enfer, menacé Dan de toutes les polices de la terre, avant d'appeler sa belle-mère en la traitant d'irresponsable et que tout cela finirait très mal et peut-être qu'ils en avaient rien à foutre mais elle, sa sœur, elle l'aimait. Demi-sœur, je te signale. Cause toujours. Jalouse, oui. Pauline la sérieuse, la travailleuse, tu parles d'un modèle.

Placée sous séquestre pendant quinze jours, elle s'en fout, ses parents ne sont jamais là, elle a repris sa vie, sans Dan, mais en boîte tous les samedis, direction le baisodrome où les videurs se détendent avec les habituées.

C'est drôle ce pouvoir qu'elle a sur sa mère. Un soir où elles s'embrouillaient, elle a fait un pas vers Victoire avec ses cheveux impeccablement blonds et sa coupe faussement échevelée et ses mules à talons fuchsia et son jogging de haute couture et son look qu'elle croyait jeune et qui était vieux, archi-vieux, et elle a vu le vacillement de la pupille, imperceptible mais aussi flagrant qu'un bras levé, les yeux mi-clos pour parer le coup. Elle a compris qu'elle la tenait, sa mère avait peur d'elle.

Elle en a discuté avec un vieux, genre quarante ans, un soir, dans un bar dont elle connaissait le barman pour lui avoir fait une petite faveur, par pure gentillesse parce qu'il ne la branchait pas trop mais quand on est jeune il faut accumuler les expériences, et le jour où, comme sa mère, elle aura quarante piges et le corps desséché par les régimes et l'aérobic, plus personne ne voudra d'elle, même pas son mari, alors c'est maintenant qu'il fallait en profiter, bref, elle avait commencé à se bourrer la gueule consciencieusement mais discrètement pour pas attirer d'ennuis à son pote barman et le vieux avait lentement glissé de son tabouret pour se rapprocher d'elle et elle l'avait vu venir, oh ça oui, en se disant que Mathusalem merci, sans elle. Lui carburait au calva et n'avait pas envie de boire seul, c'était tout. Elle était restée un peu sur ses gardes au début mais il lui avait posé des questions, non, plus fort que ça, il ne lui avait posé aucune question, il avait un peu parlé de lui, de son fils, et elle s'était retrouvée à blablater comme jamais et c'était super-intéressant parce que le type était psy et il lui avait expliqué plein de trucs à propos de son fils et aussi d'une fille qu'il avait eue d'un premier mariage et qu'il avait ratée, c'est comme ça qu'il disait : «Je l'ai ratée.»

Mais il voulait pas dire comme on rate un gâteau mais comme on rate un rendez-vous et du coup, Jeanne l'intéressait, et comme il ne faisait semblant de rien, ni de la calculer avec des sales idées dans la tronche, ni de lui prendre la tête pour faire le malin, elle lui en avait raconté des tonnes parce que, à chaque fois, il trouvait les mots pour décrypter les hiéroglyphes qu'elle a dans la tête et dont elle ne sait pas toujours quoi faire.

Elle lui avait dit : «Je crois que je leur fais peur, surtout à ma mère.» Et il lui avait expliqué que les enfants renvoyaient les parents à eux-mêmes comme un miroir impitoyable qu'on essaie d'esquiver.

Une bonne soirée, sauf à la fin quand le vieux s'était mis à pleurer en répétant «toute la misère du monde», comme si c'était le secret des templiers et qu'elle s'était levée pour aller pisser et s'était mise à gerber partout et le copain barman n'avait pas été ultra-cool sur ce coup-là et les avait foutus à la porte avec tout le monde qui regardait, et elle et son nouveau copain s'étaient retrouvés sur un banc et s'étaient endormis, elle sa tête sur son épaule, et elle était rentrée à pied dans l'aube glacée avec l'impression que le monde lui appartenait, avait réussi à s'installer devant un bol de café avant que ses parents descendent, c'était fatigant quelquefois d'être tellement vieille pour son âge.

Comme prévu, elle a raté son bac. Elle aurait pu l'avoir facilement, elle en a les moyens mais parfois même le plus petit effort l'épuise par avance. Élise arrivait à la secouer mais Élise l'avait décrétée «infréquentable» parce que trop fréquentée. Ce qui n'était pas faux mais terriblement injuste parce que Jeanne avait toujours été réglo et nickel avec sa seule amie. Sauf quand elle avait chiné son amoureux, mais il aurait pu refuser, l'enfoiré, et en y réfléchissant bien, c'était tout bénef pour Élise. On peut dire que Jeanne avait démasqué le sale faux cul. Au lieu de quoi, Élise l'avait mise en quarantaine et avait coupé court à ses tentatives de réparation par : «Tu chies sur tout le monde et je ne suis pas coprophile.» Ça c'était du Élise tout craché, Jeanne avait dû chercher le mot dans le dictionnaire. Mais le pire du pire avait été la lettre moralisatrice «en toute affection», après quoi Jeanne avait définitivement tourné la page. Si y a un truc qui la rend dingue, c'est les leçons de morale. Chacun vit sa vie comme il veut et la vie d'Élise, franchement... Jeanne sentait bien qu'elle lui cachait des trucs, mais de là à deviner que son père avait chopé le cancer... Les vraies amies, ça se dit tout, non? Alors, elle s'était vengée.

C'était ça? Elle s'était vengée?

Non, mais si Élise lui avait parlé, Jeanne n'aurait pas chiné son amoureux. Ou peut-être que si. Parfois elle ne sait pas elle-même ce qu'elle est devenue. Et puis, à quoi bon? Demain n'existe pas.

Ouah, elle a bien négocié le tournant, accélération, la roue dérape un peu, maintenant, c'est tout droit, elle lève les bras vers le ciel tout bleu.

Quand même, ça la tracasse. Élise lui manque, la seule amie qu'elle ait jamais eue. Elle va lui écrire, c'est trop bête. Elle fera profil bas, demandera de l'aide. Elle a besoin d'aide.

Peut-être aller en pension. Ce serait une solution. Plus d'alcool, plus de cigarettes. À propos. Elle attrape le paquet dans sa poche, l'œil fixé sur le chemin, extirpe une cigarette, l'allume sans ralentir, trop forte, et voit la camionnette, en plein milieu du chemin, quel con ! Ou quelle conne, faut pas être sexiste. Si la bagnole ne bouge pas, elle a la place de passer. Bordel de cul, c'est pas vrai, il manœuvre pour faire demi-tour. Vite, elle égrène les options mais c'est plein de fourrés. Alors, le prendre de vitesse, ça, c'est un vrai challenge, elle accélère mais quoi, il a calé en plus !

Elle freine sec juste avant l'obstacle, se cogne un peu le front contre la carrosserie, tombe. Putain chiotte, elle marque facilement, elle va être pleine de bleus, en maillot, ça le fait pas. Ses parents vont lui mettre un avocat au cul à ce connard.

Quand elle ouvre les yeux, le visage de l'homme est tout près avec ses yeux de fouine. Putain qu'il est laid. Bien sa veine. Elle a dû mal entendre, il a demandé si elle savait sucer. Non mais il s'est regardé !

Il l'aide gentiment à se relever. Elle a dû mal entendre. Elle cligne, le soleil radieux plein la figure. Elle ne voit pas le coup arriver. Il n'y aura plus de provocation, ni de réconciliation avec sa sœur, ni d'embrouilles avec sa mère.

Elle s'affaisse lentement dans le noir.

6

Procès de Jean Chardin

– Oui, le 11 juillet 2009, je rentrais chez moi et, au moment de garer ma voiture, j'ai vu... cette jeune fille et tout de suite, j'ai compris que ça n'allait pas, enfin qu'il s'était passé quelque chose. Elle avait les jambes griffées, un petit tee-shirt qui ne la couvrait pas vraiment, assez sale, déformé, elle était plaquée contre le mur de mon garage, comme pour qu'on la voie pas. Je suis descendu de voiture, j'ai fait un pas vers elle et elle a reculé. Comme un animal sauvage, vous savez. Alors je lui ai demandé si elle avait eu un accident, si elle avait besoin d'aide et elle a répondu trop bas, je n'ai pas entendu. En fait, elle a répété et j'ai entendu qu'elle avait été agressée et là, je me suis dit qu'elle avait dû passer un sale quart d'heure. À voir sa tête et son état. Elle m'a demandé où on était et là, j'ai vu qu'elle avait un téléphone contre l'oreille et qu'elle parlait à sa maman, je crois que c'était sa maman, et comme elle n'arrivait pas à bien dire les choses, j'ai pris le téléphone pour expliquer à la dame comment arriver. J'ai dit à la jeune fille de ne pas bouger, que je revenais tout de suite, j'ai couru dans la maison pour prendre une couverture parce que c'était gênant de la voir essayer de se cacher avec son tee-shirt sur lequel elle n'arrêtait pas de tirer, je pense qu'elle avait froid, à cause du choc. Je lui ai tendu la couverture, j'ai demandé si elle voulait que je l'aide à s'envelopper, que je ne la toucherais pas. Elle était à nouveau au téléphone, avec une amie je crois. Elle lui racontait et c'est comme ça que j'ai compris ce qu'il s'était passé. Elle s'est détournée et je me suis éloigné pour ne pas avoir l'air… enfin, trop curieux. J'ai laissé la couverture pas loin d'elle et on a attendu que sa maman arrive. Après, je suis allé récupérer le vélo avec ma remorque et je les ai suivies en voiture jusque chez elles. Voilà.

– Merci, monsieur. Avez-vous croisé la camionnette blanche de monsieur Chardin?

– Non, ou en tout cas, je ne m'en souviens pas.

– Y avait-il des traces de coups sur le corps de mademoiselle Delcourt?

– Je n'osais pas trop la regarder, la pauvre, c'était gênant. Je me rappelle les griffures sur les jambes mais ça, c'était plutôt comme quand on a traversé des broussailles, les jambes nues. Ah si, sur le haut des bras, elle avait des bleus, je me rappelle, presque noirs.

– Monsieur Chardin.

L'accusé se lève en soufflant, agrippe la tablette comme s'il risquait de tomber.

– Expliquez à la cour ce qu'il s'est passé exactement avant votre départ. Votre premier récit ne correspond pas exactement à ce que nous a raconté mademoiselle Delcourt. Et monsieur vient de témoigner qu'elle était nue avec juste un tee-shirt à la fois trop grand et trop petit pour elle. Après l'agression, pendant l'épisode que nous appellerons de la ficelle, comment était habillée mademoiselle Delcourt?

– Euh, elle l'était pas. Enfin, elle était, comment, déshabillée.

– Lors du premier interrogatoire, vous avez affirmé qu'elle avait encore tous ses vêtements.

– Je ne me rappelais pas bien. Je crois que j'ai ramassé tout ce qui traînait et je lui ai dit de se tourner sur le côté, les mains dans le dos.

– Vous teniez les vêtements comment?

– Ben, comment, dans la main. La main droite.

– Et la ficelle?

– J'ai posé les vêtements par terre, j'ai ramassé la ficelle et puis je l'ai rejetée.

– Vous aviez pensé attacher votre victime…

– Je ne sais pas. Parce que j'aurais pu l'attacher avec le tee-shirt aussi bien et le fait est que je l'ai pas attachée.

– D'après le témoignage de mademoiselle Delcourt, vous êtes parti en la laissant nue sur le sol et vous êtes revenu au bout d'un moment. Qu'est-ce que vous avez fait pendant ce temps?

– Je suis retourné à ma voiture et je suis resté un moment, le front sur le volant. Et puis j'ai repensé à la victime toute seule, toute nue… Alors je suis retourné là-bas et je lui ai jeté son, comment, tee-shirt.

– Vous lui avez dit quelque chose à ce moment-là?

– Les mots exacts, je pourrais pas dire, mais c'était qu'elle pouvait se couvrir mais pas bouger.

– Vous ne lui avez pas dit que vous alliez revenir?

45

Il fait non de la tête d'un mouvement véhément.

– Parlez, monsieur Chardin.

– Non, non.

– Vous n'aviez pas l'intention de revenir?

– Non, au contraire.

– Et vous ne l'avez pas menacée?

– Non, là, non. Au début oui, mais là, pas.

La jeune fille qui écoute, tête baissée, s'est penchée vers son avocate et lui chuchote à l'oreille. Agnès Damboise hoche la tête et se lève pour son tour de questions. Elle demande au témoin s'il n'a rien remarqué de particulier en allant chercher le vélo de la victime. Il n'aurait pas, par hasard, vu comme de la terre fraîchement retournée? Non, bon, elle le remercie.

Elle reprend avec l'accusé, évoque la pelle qu'on a trouvée dans sa camionnette, récemment lavée.

L'accusé conteste, elle était propre tout simplement parce qu'il ne s'en était pas servi depuis longtemps. Il nettoie tout régulièrement.

Son avocat se lève d'un air outragé, agite les mains en signe de protestation, secoue la tête et se rassoit sans rien dire.

Maître Damboise, indifférente à ce jeu de mime adressé exclusivement aux jurés, rappelle qu'on n'a jamais retrouvé les vêtements de sa cliente. L'accusé persiste : il les a jetés dans la rivière.

L'avocate insiste : il ne se rappelle pas où exactement?

C'est cela, il ne se rappelle pas. Il est désolé.

C'était pour faire disparaître toute trace d'ADN?

Il n'a pas réfléchi.

À aucun moment, il n'a envisagé de les enterrer? Voire d'enterrer tout ce qui pouvait le compromettre? Le message est passé auprès des jurés. Quoi de plus compromettant que la victime? L'avocat de l'accusé tente de remettre de l'ordre :

– Monsieur Chardin, dans votre camionnette, vous avez effectivement une pelle mais également une bêche, je crois. Pouvez-vous expliquer à la cour à quoi elles vous servent?

L'accusé regarde fixement son avocat et semble interdit.

– N'avez-vous pas un hobby particulier, monsieur Chardin?

– Ah oui, si, les bonsaïs.

– Les bonsaïs sauvages, je crois, ceux qu'on trouve dans la nature. Et c'est délicat de les retirer du sol sans abîmer leurs racines, c'est cela? Expliquez-nous comment vous faites.

L'accusé explique comment il creuse le sol à la bêche autour du petit arbre avant d'extraire le bloc plein de racines avec la pelle. Son innocente passion le rend ordinaire et inoffensif.

L'avocat de la défense hoche la tête plusieurs fois, d'un air entendu, jette un œil de reproche attristé vers le banc de la partie civile, puis reprend la parole :

– Une dernière question, madame la présidente. Monsieur Chardin, tout le monde peut voir que vous vous efforcez d'être aussi sincère et précis que possible. Vous n'avez jamais nié les faits qui vous sont reprochés et vous vous sentez un devoir de vérité que tout le monde a pu ressentir.

– Votre question, maître, s'agace la présidente.

– Avez-vous eu, je vous le demande solennellement, avez-vous eu des gestes de violence envers la victime, avez-vous donné des coups, des gifles ou quoi que ce soit qui évoque de la violence physique ?

– Non.

– Alors, comment expliquez-vous les ecchymoses sur les bras de mademoiselle Delcourt ?

– Je l'ai, comment, tenue, euh fort et, je, je suis mécanicien, j'ai beaucoup de force dans les mains.

Il étend ses deux mains genre battoirs et ajoute, l'air penaud :

– La victime a des bras fins. Quand je me suis mis sur elle, je l'ai maintenue par les bras pour pas qu'elle bouge.

Il baisse la tête dans un mouvement de honte, s'assied et ôte ses lunettes pour s'essuyer les commissures des yeux.

Isabelle Delcourt, qui n'a pas une seule fois levé la tête vers lui, se penche pour chuchoter à l'oreille d'Agnès Damboise.

Le témoin resté en plan tout ce temps n'a rien à ajouter et se retire.

Le lieutenant Passant, qui a dirigé les investigations, prend le relais. Il raconte l'enquête, le manque d'indices dans un premier temps, l'absence de traces d'ADN jusqu'à ce que mademoiselle Delcourt se rappelle avoir craché dans l'herbe, ce qui les a conduits à ratisser l'endroit où l'agression avait eu lieu et leur a permis de recueillir un petit dépôt de sperme. Mademoiselle Delcourt se souvenait d'une partie de la plaque d'immatriculation. L'agresseur était inscrit au casier judiciaire, suite aux agressions sur mineures commises en 1991. Son identité a pu être rapidement établie et il a immédiatement reconnu les faits quand les gendarmes l'ont interrogé sur son lieu de travail, le garage Ménard. Il les a également suivis sans difficulté.

À l'avocate d'Isabelle Delcourt, l'enquêteur répond par la négative sur des traces éventuelles de terre creusée ou retournée. Non, la victime n'en a pas parlé non plus. Mais tout le coin a été passé au peigne fin. Ils auraient vu …

Pendant le premier interrogatoire, le suspect semblait détaché, presque absent, factuel. Son récit était précis mais il a fallu beaucoup de questions pour obtenir tous les détails. Oui, la camionnette a été examinée. Elle était maintenue dans un état de grande propreté. On peut voir que son propriétaire en prend le plus grand soin et, en tant que mécanicien, l'entretient dans un état quasi neuf. Il y avait juste des traces de sable au niveau du siège passager et oui, également dans la partie arrière.

L'avocat général demande si l'accusé s'est inquiété de l'état de sa victime. Non. Il était embêté de laisser son patron en plan et a demandé s'il serait automatiquement incarcéré parce qu'il avait trois véhicules en attente et qu'il ne voulait pas laisser monsieur Ménard en rade.

L'avocat de la défense reprend sur ce point. Non, il n'a pas protesté, jamais, sur rien.

– Vous a-t-il semblé soulagé quand vous êtes venu l'arrêter?

– Pas particulièrement. Je dirais plutôt résigné.

– A-t-il manifesté de l'émotion pendant sa récapitulation des faits?

– Non, seulement quand il a appris que sa famille avait été informée. Il a pleuré.

Puis l'avocat de la défense demande si l'inventaire de la camionnette a été établi. Oui.

Y avait-il par hasard de la corde parmi les outils accrochés à la paroi ?

Oui, effectivement.

De la corde solide ? Oui.

La parole étant donnée ensuite à l'accusé, son avocat lui fait préciser que oui, s'il avait voulu ligoter sa victime, il avait tout ce qu'il fallait à portée de main.

Le gendarme reprend la parole avec l'autorisation de la présidente pour rendre hommage à la victime, qui a permis que l'enquête se déroule au mieux. Elle a conduit les enquêteurs sur les lieux de l'agression, s'est efforcée de fournir un maximum d'informations. C'est la précision de son témoignage à chaud qui a permis de boucler l'affaire rapidement. Elle était choquée, traumatisée, mais elle a pris sur elle avec un courage incroyable, surtout vu son jeune âge, et elle a impressionné tous ceux qui l'ont approchée.

Isabelle et le gendarme échangent un regard, une accolade muette. C'est le seul témoin qu'elle écoutera et regardera de bout en bout, comme si l'objectivité de ses paroles, l'absence d'affect de l'homme la protégeaient de toute émotion rétrospective dangereuse.

Simultanément, elle pousse un bout de papier vers son avocate. L'accusé suit l'action du coin de l'œil. Demandant la parole, l'avocate interroge l'enquêteur sur les résultats de l'enquête de voisinage.

– Étrangement, personne ne le connaissait. Comme a dit un voisin de palier, « Il rasait les murs ». Aucune animosité. Considéré plutôt comme un homme timide. Et gentil.

Agnès Damboise regarde sa cliente, l'air de dire : Bon, et alors?

C'est la défense qui poursuit avec l'accord de la présidente :

– Gentil, vous pouvez préciser?

– Serviable. La copropriété avait un problème d'humidité dans la cave et monsieur Chardin a proposé de prendre en charge le creusement et la réfection du sol. Mais finalement, pour des raisons d'assurance, ils ont fait appel à une société.

Isabelle est appuyée sur le coude, le menton dans la paume. Elle note quelque chose. L'accusé regarde furtivement dans sa direction puis scrute le sol, le front plissé.

7

À HUIT ANS, Isabelle maîtrise parfaitement l'art de se rendre invisible. Il suffit de s'installer sans se cacher contre un mur ou dans un angle, vaguement à l'abri derrière un meuble, et de s'absorber dans un jeu d'enfant.

Pendant que sa maman et son amie Babette prennent le thé, Isabelle joue avec sa poupée. Il y a du secret dans l'air.

– Ça va mieux ? demande Babette.

– Mmm, répond vaguement Claire en indiquant sa fille du menton.

Dans un premier temps, les adultes savent qu'elle est là.

– Je veux dire, Éliane, ça va mieux ?

Isabelle n'est pas dupe. Babette ne voulait pas parler d'Éliane qui a un cancer du sein et qu'Isabelle n'aime pas parce qu'elle bouge tout le temps les bras en parlant trop fort. La petite fille laisse les mots s'égrener dans l'air comme une chanson sans paroles. Éliane va mourir. Papa, qui est biologiste, l'a dit à maman qui fait semblant de ne pas être au courant. La mort, personne n'aime trop ça. Un jour quelqu'un n'est plus là et peu à peu le trou de son absence se comble comme la soupe dont on enlève une grosse louche et après, tu regardes dans la soupière et tu ne vois plus la trace du trou.

Deuxième étape du camouflage :

– Tu es la plus gentille des poupées. Tu es très très jolie avec ta queue de cheval mais si je te fais un chignon, ce sera encore plus beau. Hein ? Pour sortir, on va mettre ta robe blanche.

Le léger babil d'Isabelle forme un fond sonore qui la rend plus invisible que le silence. Le mari de Babette s'appelle Gilles.

– Gilles est tellement pantouflard, ça m'énerve.

– C'est logique, pour un architecte.

– J'ai acheté des billets pour la Turquie et je te parie qu'il va avoir un chantier à tenir pile à ce moment-là. Et si on y allait toutes les deux ? Comme c'est un pays des merveilles sous le burnous, on se prend deux guides, un pour chacune.

– Babette !

– Ça te ferait le plus grand bien de lui rendre la monnaie de sa pièce.

Isabelle tend l'oreille. Babette enchaîne :

– Qu'est-ce qu'il est devenu ton client moustachu ?

– Toujours moustachu. Rédhibitoire.

– Une moustache, ça chatouille, ça gratouille, ce qui, selon la zone à explorer…

– Babette !

– Poil à poil. Et l'épilation totale, tu y as pensé ?

– Ça vient direct du porno.

– Et alors ? Surprends-le, ton mec. Tu es trop sage. Et puis… qu'est-ce que t'en sais, en vrai, de ce qu'il fait ?

53

Ça se trouve, tu fantasmes parce qu'il bosse tellement dur.

Isabelle n'y comprend rien mais reste concentrée.

— Et puis quoi ? You want to divorce ?

En dépit de l'accent appuyé de Babette, la petite fille a reconnu le mot.

— Mais tu es folle, c'est hors de question !

Sa maman a la voix qui tremble d'une façon qu'Isabelle connaît, quand elle a peur. Elle ne veut pas, elle dit non. Isabelle ne demande rien de plus à la vie. La famille Delcourt est hors d'atteinte, rien ne la séparera. Babette ne va pas devenir sa belle-mère, ce qui serait affreux. Babette se colle contre son père dans le couloir et l'embrasse sur la bouche en faisant toutes sortes de bruits ridicules.

Isabelle chante une chanson à sa poupée pour l'endormir. La voix de Babette vrombit au-dessus de sa tête :

— Dis-moi, Isa, on va aller à la campagne ce week-end, tu veux venir ? Ça ferait plaisir à Framboise.

Panique : on ne dit pas non aux adultes, même si on n'a pas envie de faire ce qu'ils disent. Comment se sortir du piège, deux jours avec Framboise qui, en plus d'avoir un nom idiot, passe son temps à donner des ordres et à lui hurler dessus ?

— Pas ce week-end, désolée, Isabelle a un goûter d'anniversaire, intervient la voix de maman la fée.

Le cœur d'Isabelle va exploser. Sa maman comprend tout, sa maman la protège, il ne peut jamais rien lui arriver c'est une maman veilleuse, merveilleuse.

Elle va dans sa chambre, déchire une feuille de son cahier de brouillon et dessine en s'appliquant une fleur multicolore qu'elle signe d'un cœur. Elle déborde d'amour inexpressible. Elle ne veut pas léser son papa qu'elle aime aussi fort, autrement. Il la porte sur ses épaules à toucher le plafond tellement il est grand et beau mais beau !

Pour lui, elle dessine un arbre parfait, s'applique sur le détail des branches couvertes de minuscules feuilles. Elle est bonne en dessin.

Elle entre dans la chambre de ses parents qui l'impressionne, ce n'est pas un endroit où elle pénètre facilement, sauf le dimanche quand elle vient se mettre au lit entre eux, ce qui la rend étrangement euphorique tout en l'embarrassant. Ça sent bizarre dans leur lit.

Vite, elle glisse un dessin sous chaque oreiller, sachant que sa mère dort contre le mur et son père du côté de la fenêtre. Les deux dessins de sa main les réunissent. Ensemble pour toujours.

– Bella ? Tu viens ? Je suis dans la cuisine.

La petite fille lève son regard clair et confiant jusqu'aux yeux vert foncé de sa maman blonde comme elle.

– Tu ne voulais pas y aller ?

Isabelle secoue la tête avec conviction.

– J'ai menti, ce n'est pas bien, mais je savais que Babette ne lâcherait pas sans un argument irréfutable. Tu sais ce que ça veut dire ? Qu'on ne peut pas discuter. Irréfutable.

Isabelle répète en articulant silencieusement le mot puis à haute voix en doublant le r comme sa maman.

– Irréfutable.

– Tu veux du Nutella ? Tiens, je te laisse tartiner. Je

dois fermer la boutique. Ça ne t'ennuie pas de rester seule ?

Isabelle secoue à nouveau la tête, plus lentement.

Elle s'applique pour étaler la pâte grasse sur le pain de mie grillé. Ça craque sous la dent, elle exagère la mastication pour faire beaucoup de bruit et elle entend un autre crac. Pas de la tartine, c'est sûr.

Elle appelle d'une voix aussi tranquille que possible :
– Maman, c'est toi ?

Silence. Elle tourne la tête vers la porte de la cuisine, tend l'oreille. Rien. Par précaution, elle change de place pour être face à la porte, dos à la fenêtre, qui est fermée. L'ogre ne peut pas passer par là.

Dehors, le danger peut surgir de partout, mais si l'ogre l'épie aussi chez elle, l'endroit le plus sûr de la terre, ça veut dire qu'elle n'est plus à l'abri nulle part.

Elle se raisonne : il y avait le même silence quand sa maman était là. C'est juste les bruits de sa mère, ses mots qui empêchaient de l'entendre. Rien n'est changé. Le corps raidi par l'attention, elle finit sa tartine mais le cœur n'y est plus. Aller à l'évier, laver l'assiette lui demande un courage énorme car elle se sent fragile, le dos exposé. À force d'y penser, cela devient une certitude, l'ogre a trouvé son adresse, il est là. Elle n'a rien dit pourtant, elle a tenu parole. Elle retire ses chaussures pour faire le moins de bruit possible. S'il n'entend rien, il la croira dans la cuisine pendant qu'elle s'enfuit. Elle calcule rapidement que les voisins ne sont pas là à cette heure-ci, mais sur le trottoir, elle sera en sécurité, au milieu des gens.

Elle passe la tête par la porte de la cuisine, observe à droite et à gauche, le grand living est vide. La porte du bureau est fermée. À pas de loup, elle glisse jusqu'à la porte qu'elle ouvre brutalement. L'ordre et le calme règnent.

Elle s'accroupit dans l'escalier pour voir à travers la rampe le couloir sombre. Elle n'ose pas appuyer sur l'interrupteur.

L'escalier est métallique, ses pas sont inaudibles et l'étage du bas est moquetté. La chambre des parents, restée ouverte, est vide.

Elle vérifie sous le lit de Lucas. La porte d'entrée claque. Cette fois, elle n'a pas rêvé. Trop tôt pour son père, Lucas a foot et sa mère n'a pas eu le temps de faire l'aller et retour.

Elle se met en hérisson, les yeux et les poings serrés.

D'un pas lourd et traînant, son frère entre dans sa chambre, jette son sac à la volée et monte à l'étage. S'il la voyait sortir de sous son lit, il n'en finirait pas de se moquer. Portée par un soulagement gigantesque, elle remonte, va directement à la cuisine. Lucas l'accueille avec son amabilité coutumière :

– Ah, t'es là ! Tu pourrais ne pas laisser traîner tes affaires partout ! J'ai shooté dans ta botte, elle était en plein milieu du couloir.

– Peut-être qu'un jour, t'arriveras à marquer un but.

– Il reste du Coca ?

– Chais pas.

– On se demande à quoi tu sers des fois.

Elle rigole et profite de l'occasion à gros mots :

– À faire chier ?

– Ça doit être ça.

Elle tire le pot de Nutella vers elle. C'est fou comme la vie est belle.

8

L A JOLIE mairie baignée de soleil évoque une maison bourgeoise cossue sur laquelle on aurait accroché un drapeau tricolore. Pour cette journée décrétée la plus belle de sa vie, la sœur de Jean Chardin a suivi un régime punitif. Elle porte une longue robe blanche de forme princesse qui s'évase jusqu'aux pieds. Elle a opté pour un large décolleté qu'autorise sa belle poitrine rebondie. Elle maintient de la main une capeline de paille blanche car une légère brise soulève le long ruban de satin brillant et menace d'envoler le chapeau. Françoise, désormais Dubrovski, se cramponne à la main de son mari tout neuf pendant que la noce se masse autour d'eux. Son frère Jean arrose le couple de riz, et les invités rient aux éclats. Le photographe officiel essaie d'organiser le groupe. Le marié, en costume blanc, cravate de soie bleu pâle, incline son canotier de côté pour mieux embrasser son épouse. On se bouscule, on blague, on se resserre jusqu'à ce que tout le monde entre dans le cadre, prêt à hurler «Ouistiti sexe!» en chœur. Le tout petit page de trois ans en culottes courtes se retourne, interloqué, lève la tête pour regarder les adultes qui hurlent avec furie le mot étrange. Il se met à pleurer.

Jean le juche sur ses épaules, comme une plume. Françoise, attendrie, chuchote à son frère qu'il sera le prochain. Elle se fait fort de lui trouver une fiancée, lui qui adore les enfants. Son bonheur à elle sera complet quand il sera casé et aussi heureux qu'elle. Les deux s'étreignent. Elle fond en larmes. Jean lui tapote le dos, le petit page s'agite. Ses semelles glissent, traçant une traînée de poussière grisâtre sur la robe de la mariée. L'enfant s'accroche des deux bras au cou de Jean et manque l'étrangler avant d'être récupéré par sa maman qui le console. On rit encore, toujours. On se remet en place pour une nouvelle série de photos avant le vin d'honneur. Ça fait du monde, les deux familles réunies pour l'occasion. Les parents, bien sûr, des deux côtés, et puis les oncles et tantes et leurs enfants. La famille Dubrovski est venue de Roubaix.

Ils disent : « Maintenant on connaît la route. » Car les mariés s'installent dans le bourg normand où les Chardin avaient leur maison au temps de leur prospérité. Ils ont trouvé un pavillon tout confort avec jardin, trop petit néanmoins pour accueillir les invités de la noce. C'est au Lion d'or que se déroulent les festivités. Un interminable déjeuner, quelques photos posées dans le parc qui entoure le restaurant. Un DJ est chargé de la musique pour que les mariés ouvrent le bal comme dans les films et le ferment par une longue farandole, après la danse des canards où Jean excelle. Avec une agilité surprenante pour son gabarit, il se dandine, avance accroupi sur les orteils, doigts repliés contre la taille, double menton exagéré. Il fait un tabac.

Jean a le chic pour déclencher l'hilarité. Il collectionne les histoires comme celle de la mère juive qui appelle Roissy : «Il est arrivé, mon fils?» Sa sœur se demande où il l'a entendue, la famille n'a jamais fréquenté d'israélites.

François n'est pas en reste avec ses histoires nordistes qu'il fait durer, durer jusqu'à la chute :

– Une fièvre grippale, ça va encore, mais une fièvre gris foncé!

Les convives s'esclaffent de bon cœur. Et la jeune mariée crie, pitié, car elle va exploser à force, ils sont trop ces deux-là. La voilà bien lotie, après le frère, le mari!

Du côté Chardin, deux potes d'armée de Jean font galamment danser les épouses frustrées, dont les maris préfèrent lever le coude que la jambe. Le fils Chardin n'a pas réussi dans la carrière militaire qu'il espérait, pour un problème de genou, une grosse déception, explique madame Chardin à madame Dubrovski.

– Ce pauvre Jean, comme elle dit toujours en évoquant son fils, il n'a jamais eu de chance. Il galope comme un lapin mais non, comment ils ont dit? Risque de surpoids. À ce compte-là! On est costauds dans la famille, nourris à la bonne viande, parler de surpoids, c'est insultant.

Madame Dubrovski soupire poliment. C'est comme chez eux, on est rondouillards sauf François, mais ça viendra bien.

– Heureusement, mon fils est courageux. Il ne se laisse jamais abattre, reprend madame Chardin, avec plus de loyauté que de conviction.

Jean, en pleine euphorie, se dit qu'avoir l'air riche et heureux, même le temps d'une journée, donne envie de l'être toujours. Donne carrément espoir.

On se sépare sur le coup des deux heures du matin. Les mariés partent pour Paris le lendemain, Françoise en rêvait, et on n'en finit pas de s'embrasser, au revoir, histoire de prolonger un peu le plaisir. Demain, tout le monde sera reparti. Et chacun de prédire que, la prochaine fois, c'est Jean qu'on mariera, à coups de clins d'œil entendus, comme s'il avait sous la main une réserve de fiancées où il lui suffirait de piocher.

Derrière son sourire plaqué et ses protestations automatiques, défile un carrousel de petits visages ronds déformés par la même terreur. Il secoue la tête et les instantanés tombent en cascade avec le léger bruit métallique d'une donnée effacée par l'ordinateur. Sa sœur lui dit qu'il a trop bu, il va bien dormir.

Sauf qu'il ne va pas bien dormir, il le sait d'avance.

Monsieur Chardin prend la parole pour la première fois de la journée, tandis que le trio grimpe à la queue leu leu l'escalier étroit qui mène à leur appartement :

– Va falloir payer tout ça maintenant.

– Ça valait le coup, répond sa femme. Elle était bien belle, notre fille.

Elle cherche un appui auprès de son fils, qui docilement affirme aussi que oui, très belle, et que c'était une belle fête et tout le monde était vraiment gentil, c'est dommage qu'ils habitent aussi loin, les Dubrovski.

– On trouvera des occasions. On va pouvoir faire des vraies fêtes de famille maintenant, s'enthousiasme madame Chardin.

Sans sommation, monsieur Chardin flingue toute perspective d'avenir radieux. Avec son sens pratique d'homme de commerce ayant vécu la faillite, il rappelle aux deux rêveurs que ça coûte bonbon de faire la noce :

— Faudra te trouver une belle-famille qui assure, mon garçon.

Ce qui dans l'euphorie de la noce semblait envisageable, le mariage, les enfants, le bonheur tranquille, devient un petit point noir à l'horizon.

Jean n'exprime pas sa certitude que personne ne voudra jamais de lui, ce serait désobligeant pour ses parents. Un ratage de plus. Mais il n'y a pas que des ratages dans sa vie. D'accord, ses quelques mois à l'armée ne lui ont pas ouvert de carrière. N'empêche qu'il a appris à conduire, des voitures et même des camions, et découvert qu'il avait de l'or dans les mains, comme dit sa mère. Sinon, son père n'aurait pas pu lui dégotter un stage dans un grand garage à la sortie de Caen. C'est un peu l'usine mais ça le forme à tout. Et ses parents n'ont jamais su pourquoi il a dû renoncer à la carrière militaire, en vrai. La hiérarchie a été à la hauteur sur ce coup-là. Il faut dire que c'était un malentendu pendant qu'il surveillait la fille de la femme de charge. Jouait avec. Maintenant, les enfants, tu n'as même plus le droit de les regarder.

Il est jeune, vingt ans, même s'il fait plus vieux. Il a toujours fait vieux mais se dit qu'un jour son âge le rattrapera. À vingt ans, la vie est devant soi, pas derrière. Se rappeler ça toujours. Il s'est posé dans la cuisine pour boire deux grands verres d'eau parce que c'est vrai qu'il a pas mal bu et sa mère le tire de sa rêverie :

— Mon gros bébé dort debout ! Je lui prépare un Aspégic ?

— Non merci, maman.

– Si tu veux aller dans la salle de bains... J'ai fini.

Le néon éclaire la cuisine d'une lumière froide. Il n'y a pas de fenêtre, sa mère obstrue l'entrée dans sa robe de chambre molletonnée beige rosé. S'il pouvait hurler à péter les murs, que des tourbillons d'air s'engouffrent, ça ne changerait rien, bien sûr. Il s'approche de la femme au visage fatigué que son sourire n'arrive pas à éclairer. La fête est finie. Elle l'embrasse sur les deux joues, bonne nuit, lui ébouriffe machinalement les cheveux qu'il remet en place machinalement.

– Tiens, je vais faire comme toi. J'ai soif.

Il pivote de profil pour la laisser passer, a beau rentrer le ventre, effacer ses hanches, leurs corps se frôlent.

– Bonne nuit, maman.

Il traverse la salle à manger où aucune lampe n'est allumée, entre dans la chambre conjugale en évitant de regarder vers le lit où son père est déjà couché, tourné vers le mur. Sa sœur lui manque. On a enlevé son lit étroit de la pièce couloir. Après réflexion, madame Chardin a décidé que ce serait malcommode pour lui d'y dormir, il valait mieux continuer comme avant. Elle a raison, c'est plus pratique pour tout le monde, mais il aurait bien aimé avoir une porte à fermer entre ses parents et lui. De toute façon, dès qu'il aura un salaire, il ira vivre ailleurs, ce qui lui fait un peu peur.

Dans la salle de bains, il se passe de l'eau sur la figure, se brosse les dents, peigne ses cheveux en arrière. Il les laisse pousser. Il les attachera, ça lui donnera un genre. Même les joueurs de foot font ça.

« Toujours vider sa vessie avant d'aller se coucher », leur a répété leur maman toute leur enfance. Alors il passe par les cabinets, tire la chasse d'eau avant de traverser la chambre conjugale où madame Chardin attend, assise au bord du lit.

– Tu as pensé à éteindre la salle de bains?

Sa façon de lui souhaiter bonne nuit, d'être gentille. Tout le monde est gentil avec lui.

– Oui, maman.

– Tu vas te coucher?

– Pardon, oui, je me dépêche.

En trois pas, il a rejoint son coin, tire le rideau qui se déploie dans son tintement métallique. Il ferme bien l'angle contre le mur. Il ajuste sa veste sur le cintre en bois épais accroché au portemanteau mural. Finit de défaire sa cravate qu'il enroule autour du crochet. Ôte son pantalon, rentre la ceinture, bouton contre boutonnière, réunit les deux jambes et secoue légèrement le vêtement pour que le pli central se mette en place, rabat au niveau des genoux, pose le tout sur la chaise, enlève sa chemise qui va sur le deuxième cintre, l'époussette du plat de la main.

– T'as pas bientôt fini? grommelle monsieur Chardin.

Il enlève son slip le plus silencieusement possible, garde son tee-shirt et remonte le drap jusqu'au menton. Il éteint la petite lampe champignon qui le suit depuis l'enfance. Se redit qu'il doit acheter une lampe de poche pour pouvoir lire sans déranger. Mais pas ce soir, de toute façon, trop fatigué.

– Bonne nuit, mon gros bébé.

– Bonne nuit, maman.

Les effusions nocturnes de ses parents se sont espacées jusqu'à l'extinction. Le sommeil lui vient plus facilement.

9

*L*A GRANDE-MOTTE, *c'est vraiment moche. Il a failli repartir immédiatement. Et puis il est tombé sur cette zone pavillonnaire, des bungalows en béton, une architecture genre années 60. Pas du tout dans la tradition. Et ça lui plaît. Comme lui plaît sa grande maîtrise : il laisse tranquillement le destin agir. Sa solitude le sert, elle a fait de lui un observateur pointilleux. Il a tout de suite repéré la fille avec son corps de garçonnet. C'est ce qu'il aime. Il n'a pris aucune initiative et le voilà récompensé. La scène de ménage a tourné en sa faveur. Il est à nouveau maître du temps. Calme. Vide. Il attend. Patient.*

Été 2007

Irène Nemski a les yeux brouillés de larmes. Pourquoi le bonheur vire-t-il toujours au cauchemar ? Heureusement, Steve ne l'a pas vue pleurer, elle a sauvé la face. Et puis, elle va annuler le mariage, on verra sa tête alors. On verra ce qu'il restera de sa suffisance et de sa supériorité masculine.

Il aurait au moins pu lui courir après dans le sable mou et brûlant qui l'a réduite à des petits bonds ridicules au lieu de la retraite digne qu'elle espérait. D'autant que ça lui laissait tout le temps de la rattraper. Il ne l'aime pas. C'était trop beau. C'est sa crainte depuis le début, un an pile qu'ils se sont rencontrés. Joyeux anniversaire. Elle se passe le poing sur le visage, se colle encore plus de sable dans les yeux, pleure de plus belle. Elle va faire son sac à l'hôtel. Il se débrouillera pour rendre le vélo au loueur, elle n'en a rien à foutre, elle va rentrer à Lyon.

Si même avant d'être mariés, ça se passe comme ça, après, sur la longueur c'est l'enfer programmé.

Il est double et menteur. Il est sadique au fond. Parce que, franchement, quoi de plus légitime que de demander à qui il n'arrêtait pas de texter depuis qu'ils étaient à la plage ? Et quand enfin il est allé nager, qu'elle a sauté sur son Blackberry pour vérifier, il l'avait verrouillé par un mot de passe secret. Ce qui est bien la preuve qu'il avait quelque chose à cacher. Quand on s'aime, on n'a pas de secrets. Elle était si stressée qu'elle ne l'a pas entendu revenir à pas de loup, comme un vrai faux-cul, pour la faire tellement sursauter qu'elle a cru que son cœur allait lui sortir par la bouche, avec sa voix glaciale comme il sait si bien faire :

– Tu fais quoi, là, exactement ?

Ce qui est d'autant plus injuste que c'est quand même lui qui l'a poussée à aller fouiller. Avec ses airs mystérieux, son œil allumé, son refus de lui répondre et son insistance :

– Tu me fais confiance ou tu ne me fais pas confiance ?

Au début, d'accord, elle veut bien prendre un ton de plaisanterie mais au bout d'un moment, une preuve ne fait pas de mal, non plus. Pourquoi elle aurait confiance sans certitude ?

Le désespoir lui serre la gorge quand elle se rappelle le lit un peu étroit au matelas affaissé. La double fenêtre ouverte sur le balcon, le mugissement lointain de la mer, la fraîcheur de l'air, l'odeur de varech, de vacances et d'été. Leurs peaux faites l'une pour l'autre. Il n'a qu'à glisser sa paume à plat dans sa nuque pour qu'elle frissonne partout, les doigts de pied recroquevillés de plaisir. Elle se mord les lèvres. Il lui tient le visage à deux mains pour la détailler au plus près, des baisers en ponctuation. Elle reste passive parce qu'il adore qu'elle fasse semblant d'être prise contre sa volonté, comme ça l'excite, elle, de se laisser dominer. Il aime en parler aussi, de préférence en public, sur une terrasse de café, par exemple. Visage impassible, voix de conversation, il décrit à la première personne comment il lui a fait l'amour, a envie de lui faire l'amour, va lui faire l'amour, jusqu'à ce qu'elle se tortille comme une truite hors de l'eau, c'est lui qui le dit. Mais elle adore. Elle adore aussi quand ils marchent vers l'hôtel, leurs hanches collées, et qu'il accoste des inconnus pour clamer qu'elle est la plus jolie, sa Miss World à lui ! Elle rentre les épaules et rigole et l'adore de l'aimer autant.

Il faut récapituler, comprendre.

Ils se sont endormis emmêlés, elle l'a doucement retourné parce qu'il ronflait. Il a balbutié des excuses sans vraiment se réveiller.

Le matin, il était taciturne. Il reprend vie après le

petit déjeuner et la douche, elle a l'habitude. Les gens sont ce qu'ils sont. Elle n'est pas parfaite non plus.

Après, ils sont allés lui acheter des lunettes de soleil et elle s'est moquée de lui et de son goût de chiottes, parce qu'il essayait des montures dorées pétantes, avec verres miroirs, mais c'était amoureux parce qu'elle veut qu'il soit beau et classieux. Ce qu'il peut être malgré son goût de chiottes.

Elle ne l'a pas humilié, quand même? Elle cherche toujours à imposer ses goûts et ses envies, ça, c'est vrai, elle le reconnaît.

Les regrets alourdissent sa montée, elle pédale plus lentement et peine sur la côte qui l'a surprise car elle ne fait attention à rien et n'a pas anticipé, donc pas pris d'élan. Elle soupire, pousse sur les pédales. Elle est petite et mince mais tout en muscles, pas un centimètre carré de graisse. De loin, on dirait une enfant et elle a arrêté d'essayer de se vieillir à son âge véritable en se maquillant, en se juchant sur des talons inconfortables, parce qu'il l'aime comme elle est, sa petite fée Clochette comme il l'appelle à cause de son filet de voix. Une fois son rythme de croisière retrouvé, elle reprend le fil car il faut continuer, comprendre et résoudre. Peut-être ne sera-t-elle pas obligée de prendre le train et de se retrouver seule dans la ville déserte?

Le rendre jaloux. Ça, il n'aime pas. La seule fois où elle l'a vu violent, c'était une crise de jalousie, ce qui montre bien qu'il l'aime, non?

Après les lunettes de soleil, il voulait retourner à l'hôtel. Elle lui a reproché de ne penser qu'à ça, il a répondu qu'elle avait bien de la chance, mais il faisait tellement beau, elle voulait se baigner, ils ont acheté de quoi pique-niquer.

Sa seule amie mariée lui a dit qu'il valait mieux faire semblant que de ne pas répondre aux avances de son mec et que les filles qui se plaignaient d'être trompées n'avaient qu'à regarder ce qui ne se passait pas dans le lit conjugal. Ce qui a toujours rendu Irène perplexe. L'idée de se forcer lui semble lamentable. Est-ce qu'il se force, lui, quand elle a envie et lui pas? Elle n'en fait pas une affaire d'État.

Si c'est ça le problème, si c'est parce qu'elle n'a pas voulu repasser par la case hôtel + pieu, elle est consternée. Mais non, le pique-nique était joyeux. Il a marché sur les mains pour que tout le monde le regarde et qu'elle ne sache plus où se mettre. Il a terminé par une grande roue comme un enfant qui frime, puis pris des poses de culturiste. Il a un corps d'enfer, pas très grand, épais et super costaud. Elle se sent protégée avec lui. Il sait se battre, question de survie, dit-il d'un air modeste. Il a grandi comme un voyou, il a même fait de la taule et il lui a tout raconté. Maintenant, c'est un petit génie de l'informatique, il a monté une boîte avec des potes et il gagne beaucoup d'argent. Il ne lui a rien caché, il est réglo, alors quoi? Il n'y a pas eu l'ombre d'un nuage ni dans le ciel ni entre eux jusqu'à ce qu'il reçoive son texto et commence une interminable conversation sur clavier, en lui tournant le dos. Et quand elle a voulu savoir ce qui l'occupait tant, il a répondu «Si on te le demande, t'as qu'à dire que t'en sais rien».

Elle a boudé, toutes voiles dehors, mais il n'a pas eu l'air de s'en rendre compte.

Le mieux est de rentrer, se calmer, prendre une douche, s'enduire de crème et l'attendre. À son retour, ils auront une explication. Elle va tout mettre sur la table, la confiance, les secrets, l'avenir.

Elle est trop impulsive. Elle devrait l'appeler. En même temps, c'est pas mal s'il s'inquiète. Elle l'adore mais elle ne fait pas encore partie des meubles.

Voilà. Elle va attendre d'être sur leur balcon, fin prête pour lui texter qu'elle l'attend où il sait. Non, un truc plus sexy, genre «La dame a défait le lit et t'attend» ou «Dans le lit défait je t'attends. Les draps se languissent de nous».

Non, un peu tarte.

C'est dingue, ça fait trois camionnettes blanches qui la doublent. Ou la même mais ça n'a pas de sens. Le chauffeur roule plus vite qu'elle qui pédale au rythme de ses pensées : désordonné. Irène regarde autour d'elle et ne reconnaît rien. Elle a dû rater l'embranchement. Elle a tellement l'habitude de suivre Steve, dont le sens de l'orientation, contrairement au sien, pourrait en remontrer à tous les GPS de la terre, qu'elle ne fait plus attention à rien.

Une vibration dans la poche, ding, texto.

C'est lui. Elle met pied à terre. Le soleil fait des reflets sur l'écran, elle n'arrive pas à lire. Elle pousse son vélo jusqu'à l'ombre des premiers arbres derrière lesquels commence la forêt fraîche et attirante.

Elle lit : «Petite fée Clochette, ding deng dong, ma sotte petite fée chérie, lis ce qui suit.»

Et elle lit, rouge de honte, l'échange de textos de tous les soupçons avec un restaurant. L'Écume des mers, qu'elle a repéré le premier jour et où, non content d'y avoir réservé, son fiancé a exigé une table isolée, un menu spécial et des candélabres, en bref, lui a concocté une soirée de princesse pour fêter leur première année d'amour toujours.

Elle est trop nulle, retour à la plage.

Elle remonte sur son vélo, elle est à la peine. Et pour cause. Non seulement perdue mais avec un pneu crevé. Et la route est déserte. Il fait trop chaud.

Elle est trempée de sueur, au bord des larmes parce que trop bête et plus jamais et comment rentrer. Elle met pied à terre. Elle veut appeler, pas de réseau.

Un bruit de moteur venu de la forêt, sauvée! À travers les arbres, elle aperçoit la carrosserie blanche d'une camionnette, s'alarme soudain. Ça finit par ne plus être une coïncidence.

Le conducteur déclenche le clignotant gauche, avance dans sa direction. Il porte une casquette et des lunettes de soleil aux verres ocre, tourne à peine la tête vers elle et s'éloigne.

Elle se plante au milieu de la route, il doit la voir dans son rétroviseur. Elle crie en agitant les bras. La camionnette ralentit et s'arrête, tandis qu'elle court vers elle. Le conducteur a sa vitre ouverte. Il la regarde et dit :

– Je vous ai déjà vue. Trois ou quatre fois. Je suis en tournée d'inspection au Bois du couchant. On doit faire des saignées…

Il a une voix magnifique. La voix d'un acteur dont elle ne se rappelle plus le nom. Douce et mélodieuse. Comme un tapis de mousse à l'ombre des forêts, se dit-elle, devenue poète malgré elle. Il faut qu'elle s'en souvienne pour le dire à Steve, tout à l'heure. Elle sourit. Elle va en avoir des choses à lui raconter.

Elle explique qu'elle est perdue, qu'elle a crevé, est-ce qu'il sait où ils se trouvent?

Quand il lui explique, elle comprend qu'elle a effectivement raté l'embranchement. Le visage de l'homme ne va pas avec sa voix, un visage flasque et rougeaud, un chignon comme un Chinois dans Tintin, des cheveux huileux et des petits yeux masqués par des lunettes jaunes. Il lui indique la route pour retrouver le croisement, à trois kilomètres. Ou alors, elle coupe à travers bois, ce qui sera plus rapide. C'est très simple. Elle n'a qu'à suivre les marques rouges pour randonneurs sur les arbres. Oui, en partant sur la droite. Il lui souhaite bon courage, passe sa vitesse et c'est elle qui, dans son meilleur numéro de petite fille perdue, lui demande si, par hasard, Le Grau-du-Roi ne serait pas sur sa route, c'est là que se trouvent son hôtel et le loueur de vélos, ou alors, peut-être que ça ne lui ferait pas un grand détour mais vu qu'il a une camionnette assez grande pour y entrer la bicyclette parce que, en plus, elle a crevé. Voix frêle. Regard en coin par en dessous.

L'homme soupire, il est en plein travail mais c'est vrai qu'il fait rudement chaud et ça fait une trotte. Il abaisse ses lunettes sur le bout de son nez. Il a les yeux d'un gris sale, noyés dans la graisse des paupières, et les cernes gonflés. Il est balèze, un torse énorme. Drôle de physique pour un jardinier.

Il lui fait signe de se pousser, amorce une marche arrière jusqu'à hauteur du vélo. Elle court à sa bicyclette tombée au sol. Il coupe le contact. C'est gagné!

Il descend. Elle redresse le vélo, commence à le pousser.

L'homme porte un pantacourt ridicule avec des sandales en cuir et une chemisette hawaïenne. Il a des poteaux droits et épais en guise de jambes, ses pieds débordent des lanières de cuir. Drôle de tenue pour un jardinier. Il a l'air pataud mais il la sauve, alors, elle lui sourit. Lui pas. Tant pis, s'il veut lui signifier qu'elle est juste une corvée encombrante, elle s'en fiche du moment qu'il la ramène. Dans un quart d'heure, elle sera rentrée, c'est tout ce qui compte.

Il dit :

– Laissez !

Et attrape le vélo qu'il enfile sur son bras.

Il ouvre les deux battants de l'arrière de sa camionnette, installe le vélo, hésite et puis dit :

– Il vaut mieux que vous montiez avec derrière, vous l'empêcherez de valdinguer et j'ai trop de bazar devant.

Elle monte parce qu'elle n'a pas vraiment le choix mais c'est le seul moment où une sombre intuition lui serre le ventre.

Elle s'assied sur le sol et tient son vélo contre elle comme un ami rassurant. La porte claque.

Il fait rudement noir.

10

Procès de Jean Chardin

À la fin de la première journée du procès, lassitude, sentiment d'irréalité, amorce de claustropho-
bie commencent à affecter tous les participants, sauf
la présidente toujours alerte. L'heure est à l'enquête
de personnalité. Le psychologue vient de terminer son
exposé. Les jurés n'ont pas cessé de prendre des notes.
L'avocat de la défense a l'air satisfait.

La présidente maintient la même règle depuis le
début des débats : à chaque intervention, elle demande,
in fine, à l'accusé de s'exprimer.

Ce dernier prend appui sur la tablette pour hisser
son corps massif. Il attrape son micro par la tige, le
repousse aussitôt, le replace d'un geste brusque. Sa diction précise permettrait qu'il s'en passe mais il garde la
main sur la baguette flexible qui l'obsède. Il proteste :

– J'ai eu une enfance, comment, très heureuse. Mes
parents ont toujours fait de leur mieux. Ni ma sœur ni
moi n'avons manqué de rien. Je ne sais pas comment
monsieur Loiseau en est arrivé à ses conclusions, mais

moi, en ce qui me concerne, je ne les ai jamais critiqués devant lui.

– Il n'est pas interdit de critiquer ses parents. C'est même souhaitable de les remettre en cause. C'est une façon de grandir.

– Pourquoi inventer des problèmes qui n'existent pas?

– Certes. Monsieur Loiseau vient de nous parler d'un syndrome d'échec vous concernant, qu'en pensez-vous?

– Il n'y a pas que des échecs dans ma vie. Là, avant la... comment, agression, j'avais un bon travail.

– Les échecs aux examens... vous avez une intelligence normale, vous êtes sérieux et travailleur et pourtant... on dirait que vous avez du mal à passer les obstacles.

– C'est peut-être que je m'attaque à des choses trop difficiles pour moi.

– Comme avec les femmes?

– Quelles femmes?

– Vous nous avez bien parlé d'une jeune femme avec qui vous êtes sorti...

– Une fois.

– Mais vous avez passé la nuit ensemble, vous avez eu des rapports.

– Un.

– Pardon?

– Un rapport.

Tout juste audible, l'accusé semble à la peine.

– Et...?

– Et rien.

– Vous avez essayé de prolonger la relation?

Il hoche la tête, l'air buté, ses mimiques d'enfant renforcent la difficulté d'évaluer son âge réel. Ses quarante ans n'ont pas laissé de traces.

— Et qu'est-ce qu'il s'est passé ?

— Elle ne voulait plus me voir. Je vous l'ai dit. Je l'ai appelée...

— Plusieurs fois ?

— Une au moins. Elle n'avait qu'à me rappeler.

— Pourquoi pensez-vous qu'elle ne l'a pas fait ?

Plus aucune hésitation soudain, la phrase sort en boulet de canon, forte et agressive :

— Elle ne me trouvait pas à la hauteur, faut croire.

La présidente poursuit, comme un dentiste fouaille dans le creux de la dent à la recherche de l'infection :

— Elle vous l'a dit ?

— Pas besoin. Je sais.

— Parlez clairement, monsieur Chardin. Vous voulez dire que vous êtes impuissant dans un rapport « normal », d'égal à égal ?

— Non, mais elles veulent... elles veulent des, comment, performances. Et ça...

— Mais qui vous a dit ça ? Qui vous a parlé de performances ? Des femmes ? Cette femme-là ?

Silence.

Isabelle lève la tête. Pour la première fois depuis le début du procès, elle observe l'accusé attentivement. Il a la tête baissée, ses mains pianotent sur la tablette, trahissant une ébullition intérieure, révoltée et furieuse, qui contredit sa passivité extérieure, sa soumission affichée à l'autorité.

La présidente a tout son temps. Elle garde la tête penchée, son regard, qu'elle contraint à la neutralité, est posé sur l'accusé. Elle attend. Le silence persistant, peu à peu tous les regards convergent sur le gros homme. Seul son avocat reste plongé dans un PV dont il tourne les feuilles.

– Tout le monde sait ça, finit-il par lâcher.

Il a de nouveau les mains à plat sur la tablette, le corps mou. La tension générale se relâche à l'instar de la sienne.

– Est-ce que votre père, par exemple, vous a jamais parlé de sexualité ? Ou votre mère, d'ailleurs ?

L'accusé reste incrédule devant cette lubie de la magistrate.

– Non, bien sûr. On est… comment, une famille traditionnelle.

– Finalement, tout ce que vous savez de la sexualité, vous l'avez appris dans les films X dont on a trouvé une quantité impressionnante chez vous… Ce qui n'est pas interdit, bien sûr. Mais cette idée de performance, c'est bien de ces films qu'elle vient, non ?

Pas de réponse.

– Monsieur Chardin, pensez-vous que les films pornographiques correspondent au monde réel ?

– Ce sont des films, de la, comment, fiction.

– Mais quand vous vous mettez à califourchon sur une jeune fille, que vous la contraignez à vous faire une fellation et que vous lui dites « Avale », vous la traitez comme une actrice de film X. Qu'elle n'est pas !

– Je suis désolé de lui avoir fait subir cette, comment, agression. Je lui demande pardon d'avoir détruit sa vie.

Les épaules d'Isabelle se tendent, elle a de nouveau le regard baissé. Son avocate tourne la tête vers elle, se penche, lui chuchote à l'oreille. Isabelle répond d'un hochement à peine perceptible.

– Ce n'est pas ce que je vous demande, monsieur Chardin. Autrement dit : avez-vous le sentiment de copier votre vie sexuelle, donc sentimentale dans votre cas, sur le cinéma X ?

– Peut-être.

L'accusé a l'air à la fois épuisé et perdu. Il se rassied lourdement. La présidente annonce le prochain témoin, monsieur Ménard.

Les membres du public, figés pendant l'échange, remuent, se calent et se redressent, à l'affût de nouveauté.

Monsieur Ménard est petit, vif d'allure. Il entre d'un pas alerte et, contrairement à d'autres témoins qui essaient différentes postures à la barre, lui s'arrête pile devant, s'y appuie des deux mains posées à chaque extrémité. Ses jambes sont également écartées en appui solide, pieds à plat. Il porte un blue-jeans impeccablement repassé, une chemise à carreaux bleus et verts, des baskets et un blouson en cuir.

Il prête serment d'une voix claire, main levée, doigts serrés.

Comme d'habitude, la présidente explique que le témoin va d'abord s'exprimer librement sans que des questions risquent d'orienter son témoignage. Il devra ensuite répondre aux questions de la cour et des avocats.

– Que pouvez-vous nous dire sur cette affaire ?

Aussitôt, monsieur Ménard exprime sa stupéfaction, toujours aussi vive que lorsque les gendarmes sont venus arrêter son employé. Il avance la tête sans bouger le cou, lève des sourcils circonflexes et les commissures de sa bouche tombent d'un coup. En écho à ses mouvements rapides et précis, le faciès du témoin est une ardoise magique où tout s'efface instantanément, les traits restant inexpressifs jusqu'au prochain sentiment. Ils se teintent de convivialité chaleureuse pour évoquer le père de l'accusé, une connaissance ancienne à qui il a été content de rendre service en proposant un emploi stable à son fils. Suit une modestie satisfaite pour évoquer son garage où les affaires vont bien en temps de crise, ce n'est pas lui qui irait se plaindre. Le regard grave, la bouche serrée, avec une juste sévérité, quand il rappelle les antécédents de Jean Chardin, qu'il connaissait, bien sûr, ses traits disent alors qu'à lui, on ne la fait pas, dupe de rien, mais un homme a le droit de déraper une fois dans sa vie. Rapide oscillation de la tête, oreille droite épaule droite, oreille gauche épaule gauche, les yeux levés au ciel, mimique expressive de la bouche car, les jeunes filles aujourd'hui, en toute innocence certainement, mais elles vous ont de ces tenues... qui peuvent euh, prêter à confusion. Quoi qu'il en soit, il peut certifier qu'au garage, il ne s'est jamais rien passé d'équivoque, il avait été très clair là-dessus, il est tolérant mais au travail, on doit être irréprochable. D'autant que Jean a de l'or dans les mains. C'est un mécanicien hors pair et fiable, très loyal avec son employeur, quelqu'un sur qui on peut compter.

– J'ai un autre de mes gars, un Espagnol, Rafael Gomez, qui avait sa maison en chantier chez lui à San Sebastián. Ça faisait même pas un an que Jean travaillait avec nous, en intermittence, eh bien il est allé lui filer un coup de main pendant tout le mois d'août. Ça, c'est Jean Chardin !

79

Lequel baisse la tête de confusion.

À part ça, le témoin ne voit pas trop quoi dire.

Oui, bien sûr, il est prêt à le réembaucher dans la seconde. Personnellement, il ne le considère pas à sa place en prison.

Oui, il entretenait sa camionnette lui-même au garage. Il avait accès à tous les outils, mais non, monsieur Ménard ne connaît pas précisément les aménagements qu'il avait pu y apporter. Sauf, bien sûr, le panneau de bricoleur pêcheur très ingénieux qu'il avait organisé sur la paroi de l'habitacle. En tout cas, il bichonnait son véhicule, le nettoyait à fond chaque semaine et en vérifiait le moteur régulièrement.

Pendant que le garagiste témoigne, Isabelle reste appuyée contre le dossier de sa chaise, la tête basculée légèrement en arrière. Elle se penche en avant soudainement pour chuchoter à l'oreille de son avocate, qui chuchote en retour. Son mouvement de main signifie « plus tard, plus tard ».

Dès que la jeune fille sort de son indifférence affichée, du coin de l'œil Jean Chardin l'observe. Isabelle se contente de griffonner une courte phrase dans son carnet.

Le garagiste continue. Il connaît la sœur et le beau-frère qui sont des clients. Bonjour bonsoir. Ah si, monsieur Dubrovski a toujours une blague en poche. C'est un drôle. Ils ont trois enfants, très bien élevés. Une famille normale, quoi.

Non, monsieur Ménard ne fréquente pas Jean Chardin en dehors du travail. Son employé ne boit pas d'alcool, donc la bière au bistrot après le boulot, pas trop son style. Oui, un solitaire plutôt. Petit clin d'œil, tête sur le côté, bouche relevée, le contraire de Ménard.

L'avocate d'Isabelle propose au président de verser une photo au dossier. C'est celle de la fameuse paroi. Elle va être projetée sur les deux grands écrans et l'avocate demande à monsieur Ménard, pêcheur lui-même, de commenter l'attirail et ses différents éléments.

Le rouleau de plastique fortement adhésif, par exemple?

Monsieur Ménard avance sa lèvre inférieure dans une moue hautement sceptique. D'un ton hésitant, il envisage que cela puisse servir à réparer le manche de la canne, peut-être. Une corde, c'est toujours utile. Pour remorquer, par exemple. Remorquer quoi? Il ne saurait dire précisément.

Bêche, pioche... sans doute pour ces spécimens d'arbres, ces trucs japonais, une spécialité de Chardin.

– Il m'en a offert un, kaput en quinze jours. J'ai pas la patience, soupire-t-il, bouche relevée dans un arc critique, paupière baissée, désolé. Jean, il est patient comme la mort.

Il s'interrompt, regard fixe, passe la main en essuie-glace devant son visage pour effacer la formule malheureuse. Continue l'inventaire. Euh... Bâche plastique, couverture... Ça, ça dépend des gens. C'est comme les pliants. Ménard ne pêche pas sans son pliant. Chardin n'en a pas.

– Remarquez, il lui faudrait un modèle renforcé sur mesure!

Esquisse de sourire, œil brillant, gentiment moqueur.

Et le fait d'avoir toujours tout cet attirail en place, insiste l'avocate.

Monsieur Ménard hésite... Lui n'a son matériel que pendant la saison mais alors, tout le temps parce qu'on ne sait jamais, au détour d'un déplacement, on peut tomber sur un coin propice et hop profiter de l'aubaine. Chardin, lui, laissait son attirail en place toute l'année, c'est vrai. Faut dire que ce n'est pas très grand chez lui.

Agnès Damboise va se rasseoir, se ravise et se tourne vers le garagiste.

– L'Espagne, c'était en quelle année ?

Comme le garagiste hésite, elle précise :

– Vous nous avez dit que monsieur Chardin travaillait chez vous en intermittence depuis un an.

– Ah oui, c'était en 1998. L'année du Mondial.

L'avocat de la défense s'emploie à justifier la présence de tant d'ustensiles et outils dans la voiture de son client et, pour ce qui est de la pompe à vélo... Il se tourne vers l'accusé, lui laisse la parole :

– J'aime bien pouvoir rendre service.

Ménard hoche la tête plusieurs fois. La présidente ne s'attarde pas sur ce témoin qui semble l'agacer prodigieusement, à voir comme elle glisse une mèche derrière l'oreille droite, une autre derrière l'oreille gauche, secoue la tête pour les faire retomber avant de recommencer. Sa physionomie reste cependant neutre et attentive.

Quand monsieur Ménard repart, il échange une sorte de petit coucou incongru avec l'accusé, chacun agitant les doigts en direction de l'autre, l'index et le médium croisés en ce qui concerne le garagiste.

Un fin sourire éclaire le visage de l'accusé, vite remplacé par sa pause habituelle de coupable prostré par la honte.

11

À SA SORTIE de prison, Jean Chardin a vingt-deux ans
et retrouve son clic-clac derrière le rideau. Tout
le monde s'applique à faire comme si de rien. Les ressorts ne couinent plus jamais sous le couple parental et
Jean espère de tout cœur qu'il n'y a pas de lien avec ce
qu'il a fait.

Ce qu'il a fait, c'est prendre un job d'été à la piscine
municipale et aider les enfants à dominer leur appréhension de l'eau. C'est ce qu'il a expliqué au juge. Les petites
gamines courent partout avec leurs petits maillots et leurs
petites jupes et leurs petits cris de souris et se disputent et
pleurent et se font mal et il faut les consoler, leur mettre
du mercurochrome et leur parler doucement.

« Gros Jean ! » Elles l'appellent comme ça. Et il les
chouchoute et il leur fait des petits zigouiouis, des
chatouilles, pas bien méchants, il les prend sur ses
genoux, il est tendre, il les adore ces gosses et il voit
bien qu'elles en parlent entre elles, en rigolant, preuve
qu'il n'y a pas de mal.

Jusqu'à la petite Violette. Elle a mal à la tête. C'est
une enfant fragile. Il l'allonge dans le vestiaire des

moniteurs. Il vient jeter un œil. Elle dort. Il soulève le drap, elle porte un slip et un tee-shirt. Il l'a à peine effleurée qu'elle se réveille. Il est penché au-dessus d'elle, très près, elle ne le connaît même pas d'abord. Elle arrête de respirer, elle devient toute pâle et elle ne bouge pas. Saisie par la peur, le corps tendu comme une corde prête à craquer, elle le laisse faire. De Violette, il ne lui reste que la sensation d'une emprise magique, d'une puissance et d'une jouissance grandioses, et son prénom de fleur. Elle n'a jamais eu de visage.

Quand les parents de Violette portent plainte, ils rameutent les autres parents et toutes les petites pisseuses avec qui il rigolait bien se mettent à dire que, elles aussi….

On appelle ça une agression sexuelle. Une agression. Des caresses et des câlins. Il prend quatre ans, en fait deux. Il trouve ça injuste.

Ses parents et sa sœur viennent à tour de rôle le voir en prison, il a tous ses parloirs occupés.

Le seul commentaire de sa mère sur l'affaire : « Déjà tu n'as rien fait, alors du moment que tu promets de ne pas recommencer… »

Et après, plus un mot, affaire classée. Ses parents sont irréprochables.

Pendant quatre ans, jusqu'à son départ définitif, jamais une allusion à ses échecs. À chaque occasion, au contraire, ils expriment publiquement la chance d'avoir encore un enfant à la maison. Enfin, surtout sa mère.

Jean-Luc, son pote de l'armée, est de retour à La Rochelle et l'appelle. Jean ne l'a pas vu depuis le mariage de Françoise. Il s'est marié et vient d'acheter un appartement avec sa femme. Ils veulent transformer un dressing en chambre d'enfant. Ça, Jean sait faire. Il peut le leur bricoler à l'œil, il adore rendre service. Il propose de commencer tôt le matin vu qu'il est de l'après-midi au boulot, il dormira sur le canapé puisqu'ils n'ont pas de chambre d'ami. Ce sera plus pratique. Charlène commence à faire l'hésitante. Jean-Luc, qui est cool, dit « bonne idée ». Au bout de trois nuits, il lui explique qu'il est bien gentil mais qu'ils ne font pas pension de famille.

Jean se voit dans le regard de Jean-Luc : un parasite, un solitaire désespéré prêt à se cramponner à la première personne qui passe. Il essaie de faire une blague :

– Le canapé, ça ne me change pas de chez mes parents.

Il n'est pas idiot, il voit bien l'échange de sentiments entre les deux, Charlène et son mépris, Jean-Luc et sa pitié.

Une décision abrupte ricoche sur ce fiasco. Le soir même Jean Chardin annonce à ses parents qu'il va prendre un appartement. Nickel chrome de bout en bout, ils ne bronchent pas.

Un mois plus tard, une vieille cliente de la boucherie Lampion qui a un deux-pièces à louer accepte de le rencontrer. Un célibataire, ça la rassure, les vieux garçons sont maniaques et ordonnés, c'est bien connu. Elle n'arrive pas à croire qu'il n'a que vingt-six ans mais sa rondeur souriante donne confiance.

Jean n'a pas eu le temps de se faire à l'idée de la révolution qu'elle s'accomplit, le voilà chez lui, dans un appartement qui sent le neuf. La camionnette a servi pour le mini-déménagement et ses parents se sont installés provisoirement avec lui pour aider à la transition.

Il se tourne et se retourne sur le clic-clac qui l'a suivi fidèlement. Il a laissé la chambre toute neuve à ses parents. Normal. Son père l'aide à bricoler la cuisine vétuste, enfin la kitchenette plutôt, et sa mère à la remplir. Ils comptent venir ensemble tous les quinze jours pour faire un grand ménage à fond. Des parents de rêve.

Il balance entre impatience et terreur à l'idée de sauter le pas vers l'indépendance. Être écartelé entre deux pôles contradictoires, c'est l'histoire de sa vie. Chaque jour, il espère que leur confortable et affectueux ménage à trois va se reconstituer. Et le sauver. Sa mère n'attend que ça, son père, il ne sait pas, mais son père est un livre fermé, pages collées. Jean résiste à la tentation. À son âge, il n'ose plus dire aux copains qu'il habite chez ses parents. N'osait. Habitait. Il va pouvoir recevoir. Un stock de bières au frigo :

— Tu veux venir boire une petite mousse à la maison ? Tiens, assieds-toi là ! Oui c'est chouette, je suis bien ici. Pas de vis-à-vis. J'ai tout fait avec mon père. Plutôt bricoleur, oui. Si t'as besoin d'un coup de main, un jour, t'as qu'à me siffler.

Et on rigole.

Les parents retournés chez eux, il prend un crédit pour s'acheter un immense écran plat qui remplit la moitié du mur. C'est un peu trop près du clic-clac mais ça remplit l'espace et ça fait de la présence.

Il rentre du travail, fonce sous la douche pour ne pas sentir le silence et le vide autour de lui. Sous l'eau, il se palpe, fait rouler les plis de graisse, mesure l'épaisseur en trop, décide de commencer un régime et de courir chaque matin. Le jogging, c'est des possibilités de rencontres. Il ira au jardin, repérera les habituées et empruntera le même circuit. Jour après jour. Pour qu'elles s'habituent à lui, à son inoffensive présence. Il se sent mieux.

Il adopte la démarche décontractée du mec seul dans son appartement à la coule, une main dans la poche, l'autre relâchée. Il va se prendre une bière au frigo et allume la télé, regarde les infos régionales, comme à la maison avec son père qui grognait de mécontentement et sa mère qui disait : «Arrête, on n'entend rien.»

Une tranchée glacée le fend en deux, de la gorge au nombril. Ils lui manquent.

Et s'il cassait une petite croûte?

Sa mère lui a laissé une fricassée de poulet et du riz à réchauffer, au congélo. Fastoche. Dans la liste des actes de sa nouvelle vie : apprendre à faire la cuisine.

Plus sympa de manger devant la télé. Il zappe. Il est chez lui, peut choisir son programme. Il est chez lui, peut se mettre à l'aise.

Un jour, il se lance :

– Faudrait venir boire un coup avec Pamela, un de ces soirs, il propose, genre décontracté, à Corentin, qui a remplacé Rafael chez Ménard.

– Je lui en causerai.

– Elle a l'air sympa, ta femme. Vous vous êtes rencontrés comment?

– Elle était caissière à Carrefour et j'allais toujours à sa caisse, même quand il y avait la queue. Je faisais le malin pour qu'elle me repère et un jour, je lui ai apporté des fleurs et ça... C'est con, mais ça marche toujours.

– En tout cas, si elle a des copines...

Corentin ne bronche pas mais il a entendu, et un pas si beau jour que ça, l'invite à l'apéro avec une copine de Pamela. Elles se connaissent depuis la maternelle, ce qui est dingue. Jean, il ne se rappelle même pas qui il y avait dans sa classe en CM2.

– T'as fait ton CM2? rigole Corentin.

– Deux fois. J'étais tellement bon que l'instit m'a obligé à bisser.

La copine ne desserre pas les lèvres. Soit elle n'a pas pigé la blague, soit elle n'aime pas rigoler. En même temps, ce serait bien une fille sérieuse. Et dans sérieuse, il y a rieuse.

Pamela et Corentin ont filé dans la cuisine, exprès, il en est sûr. Le silence est dense, Jean n'ose pas bouger, pris dans un brouillard solide. Il s'avale des poignées de cacahuètes en panique.

La fille, merde comment elle s'appelle déjà, lui demande s'il travaille avec Corentin. Lequel Corentin l'a présenté comme un collègue de boulot. Elle est conne ou quoi?

Il hoche la tête parce qu'il ne trouve plus sa voix. Qu'est-ce qu'ils foutent les deux dans la cuisine?

Elle sirote délicatement, elle prend une pique et n'arrive pas à percer l'olive. Elle glousse. Jean attrape une olive dans la main et se la jette dans le gosier, bouche ouverte:

– Et hop! Voilà!

Il parle avant d'avoir avalé et s'étouffe, se met à tousser. La fille lui tape dans le dos et lui explique qu'il devrait boire un verre d'eau, au lieu d'aller lui en chercher un. Elle est conne ou quoi ?

Jean est en sueur, il a l'impression qu'il va mourir, il se tape une crise d'angoisse carabinée. Il disparaît dans les toilettes, se regarde dans la glace, son visage est rouge et gonflé. Il reste longtemps assis sur le siège, la tête entre les mains, vide, la tête.

Quand il sort, la fille est partie.

Normal.

De toute façon, elle avait l'air très conne.

– Très sympa, ta copine.

Il s'est rassis, Corentin aussi, sur le bord du siège. Pamela est repartie en cuisine. Ils vont peut-être lui proposer de rester dîner. La bouteille de pastis est là mais il n'ose pas se resservir, de toute façon l'alcool lui monte déjà à la tête.

S'il attend assez longtemps, ils n'auront pas le choix.

Mais non, ce n'est pas son jour. Corentin finit par lui dire que, désolé, vieux, mais ils ne vont pas tarder à passer à table…

– Ah oui, oui, je vous laisse. Bon ap, les amoureux.

Il endosse sans difficulté son habit de bon gros, lourd et lent mais gentil, leur fait la bise avant de descendre l'escalier de leur HLM pourrie.

Il a le sentiment de faire des efforts. En tout cas d'en avoir fait.

Et puis la tuile. Ménard ne peut pas lui renouveler son contrat. Il est très content de son travail mais il n'y a pas assez de boulot pour l'instant. Il garde Corentin qui est en couple et en CDI. C'est reparti pour les petits boulots.

Il rentre chez lui. Il enlève son pantalon et, comme chez lui il est le patron, il le laisse en plan, là, par terre, c'est satisfaisant. Il est en caleçon, torse nu, jambes écartées, à l'aise. Il n'est pas du genre à paniquer. Quand on est courageux, on trouve toujours du travail, c'est ce que son père lui a toujours dit. Et démontré. En rétrogradant commis à un âge avancé. Super-modèle à ne pas suivre.

Il va se chercher une autre bière et puis un paquet de chips acheté en cas d'apéro avec des potes. Et puisqu'il n'y a pas de potes, il mange tout le paquet.

Peinard.

12

ISABELLE reste hantée par un cauchemar d'enfance. Elle est au milieu de l'océan sur un îlot désert. Au loin passe un paquebot joyeusement illuminé où ses parents et son frère font la fête, entourés d'amis. Elle appelle, elle bat des bras, elle hurle, le paquebot passe sans la voir et elle reste seule.

Les sept premières années de sa vie sont une page blanche. La peur commence après. Pas pour de vrai mais à travers des scénarios imaginaires, elle en est consciente. Il y a tout de même de quoi se demander d'où vient la peur et quand elle commence. Depuis, elle l'accompagne avec la constance d'une ombre qui grandit ou s'amenuise selon l'heure et le lieu. Visible ou pas, on sait qu'elle est là. « La peur, c'est mon reflet dans le miroir », se dit-elle un jour.

Elle est petite pour son âge, grande dans sa tête, minuscule dans son cœur, un bébé qu'elle camoufle sous des allures d'arrogante supériorité.

L'amitié n'est pas une solution. Dans son expérience, l'école est peuplée de petits monstres sadiques. Elle se fait extorquer une trousse neuve, un bracelet, un goûter. Les gamines qu'elle essaie d'amadouer la font punir à leur place et la contraignent sans cesse à des jeux auxquels elle ne veut pas jouer, à d'interminables stations dans le froid avant de l'autoriser à rentrer chez elle. Elle obéit toujours. Elle se console en consolant ses poupées de chagrins similaires.

Oui, les autres constituent un régime de terreur auquel elle échappe, un jour, en choisissant la solitude qui, à défaut d'être heureuse, n'est pas malheureuse.

Tant que ses parents et son frère sont là, familiers et sûrs, l'ombre reste à distance. Jusqu'en 2005, l'année de ses quatorze ans.

Ils sont tous les quatre à table ce soir de douceur estivale, Lucas et elle sur le qui-vive. Depuis des semaines, ils entendent leurs parents discuter jusqu'à point d'heure quand ils les croient endormis. Leur père semble avoir fondu, sa rassurante épaisseur faisant place à un corps flottant dans les pantalons qu'il doit tenir par une ceinture.

— Tu crois qu'il a le cancer? a demandé Lucas, faisant découvrir à sa sœur une face imprévue de la peur.

La mère a le calme des héroïnes face à leur destin. Elle a toujours été mince, mais une énergie nerveuse habite désormais son corps. Elle a un regard illuminé de fanatique, des gestes pleins d'une certitude fiévreuse.

Lucas a passé son bac avec mention et les parents ont l'indécence d'expliquer qu'ils ont attendu cette échéance importante pour annoncer leur décision. Comme si la mention, c'était grâce à eux, s'insurge Isabelle.

— Je dois vous dire merci? persifle Lucas.

– C'est difficile pour tout le monde, alors, on évite les postures, hein, Lucas ? Vous habiterez avec maman mais vous pourrez, bien sûr, venir me voir quand vous voudrez.

– Tu t'installes avec Babette ? balance Isabelle du ton de celle à qui on ne la fait pas.

Mission accomplie : Jean-Loup darde un regard en pétard sur Claire, qui lui fait signe que non, ce n'est pas elle, elle n'a rien dit. Il est rouge écarlate, il n'aime pas être pris en faute.

– Non, je ne m'installe avec personne. Ce n'est pas comme ça.

Isabelle est déjà levée, elle ne l'écoute pas, elle s'en fiche.

– Où vas-tu, chérie ? demande sa mère, qui, c'est clair comme son nom, va la jouer empathie, compréhension et ultra-tolérance.

– Prendre un bain.

Elle le décide en le disant. Ce qu'il lui faut, à cet instant, c'est s'enfouir dans du liquide chaud et qu'ils en fassent l'interprétation qu'ils veulent. Elle a lu Freud.

Elle devine la mimique significative de son père : ha ha, retour dans le ventre de la mère.

Elle a de l'eau jusqu'au menton, c'est divin. La conversation lui parvient, assez lointaine pour être inaudible. Il lui suffit de mettre la tête sous l'eau pour que le dense silence liquide l'environne. Les mots ne servent à rien. Ce qui est dit est dit, maintenant ils bavardent pour meubler, commenter, justifier, expliquer. Mais seul compte le fait que plus jamais. Plus jamais les départs à la mer en catastrophe pour attraper le train et souvent le rater, Jean-Loup ayant décidé au dernier moment de régler ce problème de tuyau sous l'évier et Claire ayant pris le parti d'en rire, de rire de toutes les excentricités qui font le charme de son mari. Imprévisible et rassurant pourtant. Une solution pour tout, une explication pour chaque nouveau mystère de la vie.

Voilà pourquoi elle est dans l'eau chaude jusqu'au cou, parce qu'un appui essentiel de sa vie disparaît. Ils sont quatre, comme les quatre pieds d'une table solide. Il va falloir s'adapter au trépied.

Quand elle revient en peignoir de bain, Lucas est devenu un adulte qui parle avec les parents d'égal à égal, pose les bonnes questions, déjà ajusté à la situation.

Isabelle lui en veut à mort. C'est de l'abandon pur et simple. Il est encore un enfant comme elle, même s'il a une fiancée officielle qui dort parfois à la maison. Quasiment toutes les filles de sa classe ont des amoureux, sauf Myriam qui est assez moche, faut dire, et Justine qui bosse comme une tarée. Isabelle a beau tout faire comme il faut, aller aux fêtes d'anniversaire, danser en se déhanchant à mort, traîner à la terrasse du bistrot en face du bahut, dès qu'un garçon l'approche, elle est pétrifiée d'ennui. Elle ne comprend pas ce qu'ils disent, ce qui les intéresse. Elle aime lire mais pas en parler, elle planque ses deux poupées préférées et leur garde-robe en bas de son placard et, dans les moments d'inquiétude, elle joue avec et se cache parce qu'elle sait qu'on se moquerait d'elle et ne voit pas l'intérêt d'être humiliée une fois de plus.

– Viens, dit son père doucement.

Il a ouvert la porte du balcon et le couple provisoirement reconstitué s'accoude, épaule contre épaule,

Lucas à gauche de sa mère et Isabelle, lui laisse-t-on seulement le choix, à droite de son père.

C'est le début de l'été. Malgré le réverbère à la lumière tellement puissante qu'il éclaire tout le living, le ciel est parsemé d'étoiles qui lui donnent envie de pleurer.

-- Il va faire beau demain, dit le père.

Il prend Isabelle par les épaules, se baisse pour lui chuchoter à l'oreille que ça va aller, ce n'est pas une révolution, un simple remous de la vie.

De son autre bras, il entoure, essaie d'entourer Claire et Lucas. Isabelle bouillonne de haine : combien de temps vont-ils faire semblant que ce n'est pas un cataclysme, qu'au fond rien n'est changé, alors que rien, jamais, ne ressemblera à leur vie, que l'avenir est affolant d'incertitude ? Et combien de temps vont-ils rester sur ce foutu balcon à regarder l'absence de paysage et à faire semblant d'être réunis pour toujours quand ils sont séparés pour toujours ?

Quand sa mère vient dans sa chambre lui susurrer qu'elle a le droit d'être en colère, qu'elle peut l'exprimer, Isabelle retient son soupir d'exaspération et profite du noir pour lever les yeux au ciel. Elle aimerait, juste par curiosité, elle aimerait voir la tête de sa mère si elle exprimait vraiment, sincèrement, ce qu'elle a sur le cœur. Elle se jetterait par la fenêtre, oui, elle ne s'en remettrait jamais, la pauvre. Les adultes vouent un prétendu culte à la vérité tant qu'ils n'ont pas à l'affronter. D'autant que Claire est à l'initiative du divorce. Jean-Loup était prêt à continuer comme avant. Elle croit le punir mais c'est elle la perdante. Lucas va bientôt partir et Isabelle ne tardera pas à l'imiter. Comment supportera-t-elle de se retrouver seule, totalement, elle qui redoute la solitude contrairement à Isabelle qui s'en enorgueillit comme d'un signe de supériorité ?

Sa mère la fée, quelle blague ! Une femme enfant sans ressort, pas rassurante pour deux sous. Paumée.

En plus du divorce, Isabelle doit entrer dans un nouveau bahut, un « bon » lycée, où elle n'a plus aucun repère. Aucune autre élève de sa classe n'a été admise. Parce qu'elle se sent exclue, elle vouvoie tout le monde. Son dédain affiché lui sert de bouclier pour masquer sa terreur. Et juste au moment où elle se drape dans sa cape protectrice de victime hautaine du divorce de ses parents, Cécilia arrive. Cécilia, la plus improbable des complices.

Impossible de la rater avec sa dégaine insensée, sa voix rauque de vieille actrice. Elle ne ressemble à personne, n'a peur de rien. Elle se plante un jour, dans la cour, devant Isabelle, un petit fascicule classique à la main. *Le Misanthrope* n'est pourtant pas au programme.

Rien de scolaire, explique Cécilia qui suit des cours de théâtre et doit jouer Célimène dans la scène avec Arsinoé. Est-ce qu'Isabelle lui ferait réciter son texte ?

Isabelle est tellement surprise qu'elle ne songe même pas à demander pourquoi elle, puisque, pour Cécilia, cela va de soi.

Elles s'installent dans un coin et lisent la scène, une fois, deux fois. À chaque étape, Isabelle goûte davantage la subtilité des vacheries, l'équilibre des vers, la musique des rimes.

– Il n'y a que deux vieilles amies pour se connaître aussi bien, déclare-t-elle doctement.

– C'est ça, s'exclame Cécilia, survoltée, deux vieilles copines kiffent le même mec et s'affrontent en duel, on va le jouer en slam.

– On ?

– Samedi, je t'amène dans mon cours, tu t'inscris et on passe la scène ensemble.

– Je ne pourrai jamais.

– On parie ?

Cécilia est une force qui non seulement va mais entraîne. Rien ne lui résiste. Un ouragan est entré dans la vie d'Isabelle au bon moment. Cécilia l'aime comme elle est. Les garçons n'intéressent pas Isabelle ? Et alors ? Cécilia les adore uniquement parce qu'elle adore exercer son pouvoir sur eux. Pour le reste, elle est comme Isabelle, elle les trouve plutôt chiants. Et puis elle aime bien faire l'amour. Elle en parle en gourmande comme de ses plats préférés. Elle se vante un peu, Isabelle en est certaine, ce qui n'est pas grave. Le corps d'Isabelle change avec des promesses/menaces d'exigences mystérieuses. Pour lâcher l'enfance qui l'engonce, elle ne pourrait rêver meilleur guide que sa nouvelle, meilleure et pour toujours amie. D'après Cécilia, le sexe, c'est simple comme salut, salut, pas de quoi se prendre le chou. Et même si elle ne possède pas l'expérience dont elle se targue, ses certitudes sont rassurantes.

Isabelle se découvre bonne actrice. Elle est la première sidérée de son plaisir à s'exhiber en scène, protégée par des personnages extravagants. Cécilia l'extravertie, elle, n'est pas bonne et le sait mais s'en fiche. Tout le monde l'aime parce qu'il est impossible de ne pas l'aimer, c'est ce que pense loyalement

Isabelle. Dans la vraie vie, elle en fait des caisses. Sur scène, elle devient mécanique, au contraire d'Isabelle, silencieuse en groupe mais expressive en scène. Les mots des autres l'intimident moins que les siens.

En revanche, en tête à tête avec son amie, elle découvre l'absolu bonheur des confidences. Elle peut enfin confier à quelqu'un la peur idiote, irraisonnée, qui l'emprisonne.

Les trompettes de Jéricho, décide Cécilia en mettant ses mains en entonnoir devant la bouche et en faisant claquer sa langue sur un son aigu répété qui déchire les oreilles.

– Quand tu auras peur, trompette à mort et fracasse les murs.

Et les deux de faire retentir des cris sauvages à tomber de plaisir et de rires sur le lit d'Isabelle. Elle n'est plus seule et ne le sera peut-être plus jamais. Parce qu'elle aime et est aimée dans un échange à égalité. Ce qui l'autorise sans doute à l'aube de ses seize ans à ressentir pour la première fois le délicieux et inquiétant émoi de l'amour.

Florian est plus vieux, il a dix-neuf ans et prépare le Conservatoire, elle le trouve merveilleux. Il est vivant et inventif, parfaitement chez lui sur un plateau, et elle est sidérée qu'il lui propose d'être sa partenaire dans cette scène d'amoureux de Molière qui ressemble à du Marivaux tellement les amoureux se chinent, se mentent et dévoilent leurs sentiments pour mieux en reculer l'aveu.

Chaque rendez-vous de travail préparatoire est douloureusement exquis. Morte de timidité, Isabelle ne sait jamais, quand il lui prend la main avec ferveur, esquisse un baiser avec douceur, si c'est Florian ou Dorante qui agit.

Ils présentent leur scène pour la première fois dans un silence religieux. Laurent, leur prof, conseille à Florian de garder la scène pour le concours. Il leur donne quelques consignes de retravail.

– Il est fou d'amour! s'exclame Cécilia.

– Tu crois? Mais qu'est-ce que je fais?

– Rien, tu ne fais rien. Tu laisses venir. Les garçons, il faut leur laisser l'initiative. Déjà qu'ils ne savent pas vraiment à quoi ils servent, il faut au moins leur laisser ça : se prendre pour le metteur en scène.

Isabelle regarde Cécilia avec admiration : y a-t-il un seul domaine qu'elle ne maîtrise pas totalement?

13

Jolie sans doute, Yann, célibataire par vocation, ne se pose pas vraiment la question quand il voit Claire Delcourt pour la première fois. Elle est là à contre-jour, mince silhouette, cheveux blonds fins dégagés par une sorte de pince à linge dorée. Il n'a pas idée de ce qui se joue là, juste qu'il ne faut pas la laisser disparaître. Elle le prend pour quelqu'un d'autre, ainsi soit-il, le ciel soit béni, curieux comme soudain de vieilles formules religieuses surviennent, à se demander si les religions, la transcendance et tout le tralala ne sont pas nés du sentiment amoureux, cette chose qui vous prend et vous hisse et hisse l'autre hors du champ commun, du lieu commun, l'élu l'un de l'autre.

Les symptômes : il n'arrive pas à la quitter des yeux, il n'entend pas vraiment ce qu'elle dit. Une part de son cerveau en pilotage automatique répond, joue, propose, mais lui, cœur, corps, tête, est capté par sa présence. Il n'est même pas question de désir à ce stade-là, c'est bien au-delà, c'est elle, c'est lui, et il n'est même pas envisageable que rien ne les sépare jamais. Tel un barbare prêt à fondre sur la femme convoitée, il pourrait la jeter en travers de sa selle et galoper jusqu'à sa tente à des verses de là.

Claire Delcourt le confond avec son pote bouquiniste, ça, il l'a enregistré. Un bouquiniste, c'est rien, un petit camelot qui gagne trois francs six sous et apparemment cela ne pose aucun problème à cette femme raffinée à l'élégance naturelle. Cela aussi, il l'a capté, elle est élégante, ce qui n'a strictement aucune importance, mais fait d'elle un objet doublement précieux, à approcher avec tact. Ce qui n'est pas son fort.

Il n'a aucune idée de ce livre qu'elle semble désirer fortement, mais si Claude ne le lui déniche pas, lui le dénichera, quel qu'en soit le prix.

Sans se rappeler avoir spécifiquement regardé, il a vu instantanément qu'elle ne portait pas d'alliance, ce qui ne veut rien dire, elle peut très bien vivre avec quelqu'un, n'empêche qu'il en a été irradié de joie.

Irradié n'est pas une image.

Dans la série nouveautés, le trac. Première fois de sa vie qu'il rentre se changer avant d'aller soi-disant lui livrer sa commande. Il imagine ses potes le regardant faire son pretty woman pour finir en aventurier sur papier glacé, y compris la grande écharpe en coton couleur sable enroulée plusieurs fois autour du cou. Grotesque et conscient de l'être.

Pour une fois, situation inversée, Claire Delcourt a gardé la même tenue que sur les quais, pas changée, pas maquillée. Elle tient une boutique de déco. Au secours, aurait dit le Yann d'il y a trois heures et quart, celui de maintenant trouve cela charmant et ses objets exquis. Elle a du goût, sa marchandise est originale, sa boutique de déco ne ressemble à aucune autre. C'est ce qu'il pense en toute objectivité après avoir jeté un œil circulaire rapide au magasin éclairé façon clair-obscur. C'est-à-dire joliment.

Elle ne fait pas de chichis. Il propose de l'emmener dîner et elle dit oui, simplement. Il est dingue de cette femme, il n'en revient pas.

Elle a une fille. Panique. Où est le père? Quel est le mode d'emploi? Il enregistre tout très vite. Elle habite au-dessus du magasin et elle veut prévenir sa fille qu'elle sort, personne d'autre. Séparée. À tous les coups.

La fille. Ah la fille…

Elle se matérialise sans qu'il l'ait entendue descendre. Comme si elle avait glissé le long de la rampe. Genre silencieux. Genre les cheveux dans la figure. Genre polie sans plus. Genre t'es qui, toi? Ou peut-être même, touche pas à ma mère.

Il se dit qu'elle a déjà un enfant, deux même, c'est bien, ça, c'est fait. Lui ne veut pas d'enfants.

« Ma femme », il pense tout de suite à elle en ces termes, en termes d'avenir aussi.

Il rencontre le fils aîné, sympathique, méfiant, mais bon, un mec, ils se sont reniflés, ont fait les vérifications de base, décidé de garder une distance saine et un rapport détendu. Pas d'inquiétude à avoir.

Isabelle est une autre affaire.

Jolie sans doute. En devenir. Impossible à apprivoiser. Il lui fait une cour honteuse. Le loup des dessins animés, le sourire en touches de piano, le regard de faux-cul. Il note ses goûts, s'intéresse à ses opinions. Elle l'épuise. Elle finit par le gaver. Il renonce.

Et ça va tout de suite mieux.

Mais les vacances d'été en famille, il ne les sent pas.

En pleine euphorie amoureuse, Claire a réponse à tout. Il est temps de réintroduire un peu de virilité dans la famille Delcourt, ce qu'elle appelle « ta magnifique virilité ». Ce qui le flatte et le gêne simultanément. Et ne faut-il pas habituer Isabelle à sa présence puisqu'ils ont décidé de vivre ensemble ? Question rhétorique, bien sûr. Les vacances normandes chez la grand-mère sont un parfait avant-goût de leur nouvelle vie à tous, qui pourrait se mettre en place dès la rentrée. N'est-ce pas ce dont ils ont envie, lui comme elle ?

Yann cède malgré son soupçon que Claire justifie par avance tout ce qui permet de réaliser ses désirs à elle.

Son appréhension d'être une pièce rapportée encombrante est tragiquement confirmée par l'agression d'Isabelle quelques jours après son arrivée. La nouvelle le terrasse. Il se sent coupable, sans comprendre pourquoi.

À son retour, l'adolescente le frôle sans le voir. Elle est livide, les épaules rentrées, le regard absent. Elle le bouleverse. Déjà peu causante, elle devient mutique. Il aime cette gamine, ça s'est fait sans son aide, il aimerait pouvoir le lui dire mais ce n'est pas le moment. Il reste, à la demande de Claire, mais se planque, comme un voyou à qui on accorde l'asile à condition de rester invisible.

Le gros dégueulasse est arrêté, c'est comme ça qu'ils vont l'appeler entre eux désormais. Pas devant Isabelle qui a imposé l'embargo. La fille de la maison fait la loi désormais et personne ne songe à la contredire. Elle a cette force.

Comme ce jour, avant le retour à Paris, où elle vient le trouver dans le jardin, à l'ombre du noyer où il lit *L'Équipe*. Très solennelle, elle lui annonce qu'elle souhaite qu'il vienne vivre chez elles. Pas seulement pour sa mère, ça, c'est évident. Mais pour elle. Elle ajoute, éternellement mystérieuse, que ce n'est pas juste une formule, c'est une demande concrète pour l'avenir, un coup de main précis qu'elle attend, c'est ce qu'il entend mot à mot quand elle lui annonce :

– Je vais avoir besoin de toi.

Plus qu'un souhait, c'est un ordre.

14

Procès de Jean Chardin

Jean Chardin quitte rarement la présidente des yeux. Il n'a jamais croisé le regard d'un juré. C'est exprès. Il a peur de les irriter, peur aussi d'interpréter leur physionomie et de perdre courage. D'après son avocat, la présidente les a incités à masquer leurs sentiments pour ne pas influer sur le cours des débats. Du coup, ils ont tous l'air sévère. Lequel avocat, lui, les regarde beaucoup. Il prend des notes en pattes de mouche que Jean Chardin ne réussit pas à déchiffrer quand il se penche pour lui parler à l'oreille.

Il était déjà à ses côtés au premier procès, il y a vingt ans. Il venait de passer son barreau, débutant. Ça lui donnait du jus. Il s'en était bien sorti. Là, c'est plus difficile, bien sûr, mais il a plus d'expérience. Jean Chardin n'aime pas le changement. Et puis, son défenseur est toujours positif, sur le fait que son client n'a pas vraiment usé de violence, par exemple, et gentil, quand il lui presse la main bien qu'elle soit toujours un peu moite, ou quand il regarde la présidente d'un air indigné comme un garde du corps intimidant.

Jean Chardin n'en a pas l'air, mais il voit tout. Il baisse beaucoup la tête. Quand il la lève, il chope un paquet d'informations. Le regard égaré qu'il jette autour de lui permet aux jurés d'apprécier sa fragilité et sa douceur. Il ne ferait pas de mal à une mouche. Il est désolé et le dit aussi souvent qu'il peut. S'ils le trouvent un peu con et immature, c'est pour le mieux. Ce sont majoritairement des hommes, ils peuvent le comprendre. Et s'ils ont le sens de la famille, ils ne peuvent qu'apprécier sa façon d'assumer qui est sincère. Il trouve la présidente complètement à l'ouest de vouloir faire porter le chapeau à ses parents.

Sa mère était bien soulagée qu'il lui demande de ne pas venir à l'audience. Il ne peut pas s'empêcher de pleurer quand il pense à elle. C'est pour ça. Ils sont si proches tous les quatre. Il a toujours eu la larme facile, ce qui irrite son père. Il est sensible, c'est tout. Avec son gabarit, il n'est pas censé être sensible, mais il l'est.

Il regarde la présidente, respectueux, attentif. Il est sûr qu'elle l'a à la bonne et ne croit pas son avocat qui l'a mis en garde : « Méfiez-vous d'elle, c'est une peau de vache. » C'est fatigant de se méfier de tout et de tout le monde.

Il aimerait sincèrement faire plaisir à la juge mais il ne va pas avouer une poignée de meurtres pour autant ! Il retient un petit rire, se le reproche in petto. Souvenir interdit, gros danger, ne même pas effleurer le sujet de loin. Tant qu'il est dans ce tribunal, son esprit doit rester vide. On ne sait jamais. Les pensées peuvent se transmettre malgré nous, ou se matérialiser sous les yeux de tous.

Le petit sphinx, là, Isabelle, c'est une sorcière, elle a un don, un truc. Il en a peur. C'est pour ça, dès qu'il peut, il lui fait des compliments, dit son admiration, pour faire écran. Il la croit capable de pénétrer dans sa tête. C'est comme ça qu'elle l'a eu.

« On se connaît. » Elle dit ça comme deux personnes se croisent sur une plage et échangent, genre hyper naturel : « On se connaît », sauf qu'elle affirme, ne questionne pas. Elle dit « On se connaît » et c'est fini. Il est mort. Et elle pas.

Il cherche dans sa tête où il a pu la voir avant, avant la première rencontre dans l'eau qui l'a fait revenir trois jours de suite pendant lesquels elle l'a chauffé à mort. Mais avant, il ne voit pas quand.

« On se connaît. » Il se met à chercher, c'est automatique. Il détaille les yeux vert d'eau, le sourcil interrompu par une petite cicatrice, le nez et les taches de rousseur. Il aurait aussi bien pu lui demander sa photo tellement elle s'imprime profond. Elle est intense, concentrée, il ne l'a même pas vue franchir l'étape de la peur pour passer à l'étape suivante qui le déstabilise. Elle mène la danse. Elle le provoque. Entre ses cuisses, la fille ne se débat pas, elle est calme, elle l'encourage. Elle tente de rompre la glace, il est conscient de ça, il sait où elle veut en venir mais elle mène la danse et il ne peut que suivre. De toute façon, c'est trop tard. Et comme il n'a plus à exercer son pouvoir, à user de sa force et de son poids pour tenir et contraindre un corps pris de panique, le voilà qui ramollit jusqu'à la débandade.

Il défait la ceinture de son pantalon. Il est maladroit, le bouton reste coincé dans un fil de la boutonnière qui est décousue. Il voulait demander à sa mère de la raccommoder. Il a oublié. Il tire un coup sec, le bouton saute, il a le réflexe de le récupérer, de l'empocher. Ne pas laisser de traces. Il tire sur le sous-tif de la gamine.

« Ferme ta gueule ! » il le dit d'un ton méchant, alors qu'elle ne parle pas, reste immobile, ne le quitte pas des yeux. Impénétrable.

C'est ce qu'on va voir. Il la gifle, un aller et retour qui la sonne.

Il revient au présent dans un sursaut, tourne la tête malgré lui vers le banc de la défense. Il est certain qu'elle l'a pénétré avec son regard en lame de couteau pour suivre le cours de ses pensées.

Il s'efforce de vider sa tête. Revivre la scène en pleine audience, c'est de la folie. Il essaie de se débarrasser de ce sentiment de panique, d'impuissance, que provoque cette gamine en béton. Elle le domine. Elle l'a obligé à mentir. À distance. Une sorcière.

Il jette un nouveau regard de l'autre côté de la travée. Pas une fois il n'a réussi à voir ses yeux. Elle est un peu voûtée sur sa chaise, ses cheveux masquant ses traits d'une barrière de fils d'or. Elle ne bouge que pour parler à son avocate, qui pose ensuite des questions au rapport lointain avec cette affaire. Sur ses déplacements, les travaux auxquels il aide, son outillage. Elle ne peut pas savoir. Impossible. Parfois, elle note des choses brièvement dans son petit carnet noir fermé par un élastique. Elle fait glisser l'élastique du doigt, ouvre avec le ruban marque-page et écrit lentement, avec application.

Il a l'impression qu'elle ne le quitte pas des yeux, sans jamais le regarder. Il est sûr qu'elle a un plan, mais c'est absurde, c'est sa paranoïa. Braconnier lui a dit qu'il avait ce truc-là, il était parano.

Impossible de répondre qu'il a de bonnes raisons pour ça. De toute façon, on a raison d'être méfiant dans un tribunal, la meute en a après vous et après personne d'autre. Les avocats, quand c'est fini, ils rentrent chez eux. Jusqu'à la prochaine affaire. Mais l'accusé...

Il n'y a que la fille et lui qui savent ce qui s'est passé derrière les arbres. Même son avocat ne le sait pas. Il n'en a pas parlé, impossible. Le risque était qu'elle raconte mais non, elle en est restée à son premier témoignage, elle n'a pas varié d'un cil. Il ne peut pas croire qu'elle le protège. Elle l'a quand même trahi. Ou pas. Il ne sait pas. Le petit sphinx.

Bien sa chance d'être tombée sur elle. Celle qu'il n'aurait pas dû rencontrer.

Il ne voulait pas y aller. Intuition ou pas, il ne voulait pas y aller. Deux ans qu'il n'avait pas mis les pieds sur une plage. Et ça allait. Ça allait bien. Donc il pouvait y aller. Avec son tuba tout neuf, pour regarder le fond de l'eau, les coquillages. Et au fond de l'eau il voit les petites jambes maigrelettes et le maillot qui rentre un peu dans les fesses et il remonte et hop, face à face. Comme si le destin la lui présentait.

Mais il a géré. Là encore, il a géré. Personne ne peut lui enlever ça.

Il l'a vue rejoindre deux femmes sur la plage le troisième et dernier jour. Le lendemain, il déjeune chez les François. Voilà, l'affaire est réglée. Il ira pas. Il est soulagé, très soulagé. Ce qui montre bien qu'il ne veut pas y retourner.

Il suit ses déplacements justement parce qu'il n'y a aucun risque. Plaisir des yeux. C'est tout ce qu'il s'autorise, profiter qu'elle se penche en avant pour frotter ses longs cheveux dorés, puis les secouer en se redressant. Elle se retourne brusquement, une fois, deux fois. Elle se sent regardée mais sans en déceler l'origine. Parce qu'il est planqué. En hauteur, vue plongeante.

Deuxième clin d'œil du destin. Les deux femmes partent en voiture et elle reste avec son vélo. Seule. Son maillot laisse des marques humides sur son tee-shirt et son short.

D'un coup, elle se retourne dans sa direction. Il s'aplatit. Le souffle court. Elle le cherche, il en a la certitude. C'est une première et il est saisi. Il entend sa propre respiration, conscient d'inspirer bruyamment, de son excitation, de sa peur de la louper. Son cerveau va à deux cents à l'heure. La voiture des deux femmes est partie sur la nationale. Sa camionnette est en contrebas, jamais sur le parking public. On ne sait jamais. Il dévale la dune en s'enfonçant dans le sable. Il est au volant, le moteur tourne. Il a chaussé les lunettes jaunes. Il la voit arriver dans son rétroviseur. Il s'arrête sur le bas-côté, la laisse passer. Il la suit de loin. Ultime clin d'œil du destin, elle dévie et rejoint la route en terre qu'il connaît par cœur.

C'est l'improvisation qui l'a perdu. Et le regard du petit sphinx. Et sa phrase mortelle : « On se connaît. » Même pas une question. C'est elle, depuis son banc, qui le provoque.

La mère est à la barre. Claire Delcourt. Celle-là, tu lui donnes la parole et il faut un fusil pour l'arrêter.

110

Il s'efforce de bloquer sa mémoire, se concentre sur le monologue en pleine accélération. Une toupie qui donne le tournis.

– Elle est restée longtemps sous la douche. Et elle parlait, elle parlait. Je n'oublierai jamais son ton essoufflé, sa voix. Isabelle parle peu en général.

Toutes les deux secondes, elle adresse un sourire d'excuse à sa fille qui ne la regarde même pas. Une fois, la mère Delcourt se tourne vers lui, clouée, silencieuse, bouche ouverte, menton un peu rentré, comme si un haut-le-cœur menaçait de la faire vomir, une posture plus parlante que les mots. Il entend son message silencieux aux jurés : moi, mère de la victime, quand je regarde l'accusé, je vois un gros dégueulasse enfoncer sa bite dans la bouche virginale de ma fille.

Il est saisi d'une quinte de toux qui se prolonge, la greffière lui apporte un verre d'eau, son avocat lui tapote le bras d'un air inquiet.

Agnès Damboise regarde sa cliente, qui esquisse un sourire. À peine apparu, si apparu, aussitôt disparu. Les sphinx ne sourient pas.

– Isabelle lui a dit son nom, son âge, qu'elle n'avait jamais connu de garçon, qu'elle était fille unique et vivait seule avec moi, enfin avec sa mère, qu'elle venait de passer son bac.

Menteuse et traîtresse. Le petit sphinx l'a trahi, c'est ça la vérité. Il respire lentement, pour faire descendre le niveau de haine.

– Ils étaient immobiles, face à face. Il l'a écoutée sans la quitter des yeux et il lui a dit de s'allonger. Elle était certaine que ce n'était pas sa vraie voix, que c'était une grosse voix pour faire peur. À la fin, elle m'a dit que c'était pour ça qu'il ne l'avait pas tuée. Parce qu'elle lui avait dit qui elle était. Voilà, c'est tout.

Jean Chardin s'alourdit comme une pierre. Il essaie de saisir les réactions simultanées de chacun. L'avocate de la petite interroge sa cliente du regard. Son avocat à lui se plonge dans ses notes avec attention, comme si ce témoignage l'indifférait. Le juré numéro un échange une messe basse avec son voisin de droite. Une des jurées remplaçantes écrit fébrilement. La présidente demande à la victime de se lever. Confirme-t-elle le témoignage de sa mère ?

– Oui.

– Vous avez donné à l'accusé votre nom, votre adresse. Pourquoi n'en avez-vous rien dit à la cour ?

Isabelle prend son temps pour répondre. Elle hésite, cherche ses mots :

– J'avais oublié. Je ne comprends pas pourquoi, c'est bizarre.

Les mots sortent difficilement comme si elle forçait quelque chose de trop pénible hors de sa mémoire.

– Je ne me rappelle pas lui avoir dit mon nom, mais si je l'ai raconté à maman… C'est comme l'adresse. C'est bizarre parce que ça lui donnait le moyen de me retrouver. C'était après les gendarmes et tout ça. Sous la douche, ça je me rappelle, je voulais me laver de tout, bout par bout. Je frottais bout par bout. Et je voulais laver la peur aussi. Parce que…

Les mots ralentissent, s'étirent, sortis d'un songe :

– … j'ai sans doute voulu effacer ça mais il allait me tuer, j'en suis sûre et quelque chose l'en a empêché. Je ne sais pas quoi. Mais c'est…

– Oui ?

– Il ne m'a pas menacée… Je ne crois pas. Quelque chose l'en a empêché.

La défense veut intervenir mais c'est l'accusé qui est appelé. Il sort de sa torpeur, intérieurement affolé. Elle n'a pas évoqué la vraie phrase : « On se connaît. » Doit-il, lui, la dire, alors qu'il n'en a jamais fait mention ? Ça se retournerait contre lui. Ne jamais salir la victime, ne l'approcher qu'avec des gants, lui a expliqué son avocat. Ne rien dire plutôt que mentir. Ne rien dire. Apaiser le sphinx.

– La victime était affolée. Je comprends qu'elle ait pu penser ça. Je suis désolé. J'espère qu'elle pourra, un jour, me pardonner.

Isabelle s'est assise, à nouveau dissimulée derrière son rideau de cheveux, absente. Agnès Damboise est au bord de se lever, finalement elle se laisse aller contre le dossier, la paupière papillonnante.

C'était un incident de parcours. Rien de plus.

Jean Chardin se rassied, anormalement épuisé.

15

MÉLUSINE Defait, disparue entre Octeville et Courville le 6 août 2005, la veille de ses seize ans. Frédéric vérifie l'impression de la nouvelle affichette. Voici le visage qu'elle aurait aujourd'hui. Peut-être.

Pommettes hautes, mâchoire forte, paupières tombantes, lèvres fines, une femme déjà, le visage aminci évoque terriblement sa mère. Véronique.

Pendant combien d'années va-t-il voir sa fille grâce aux progrès techniques, grandir puis vieillir sur papier, immortelle en deux dimensions, jusqu'à ce qu'il meure seul et sans certitude ?

Véronique a abandonné. Elle trouve son obsession morbide. Elle dit que les gendarmes font leur travail. Avant ils étaient deux à coller l'affichette dans les magasins de la région sous les regards apitoyés des commerçants. Chaque 6 août, ils réunissaient des amis, de moins en moins nombreux. La vie continue.

Il est d'accord avec ça, tout ce qu'il espère, c'est que la vie continue pour Mélusine aussi.

Si sa femme a dressé une muraille de Chine entre eux, c'est lui qui a coupé les ponts avec Lisa, la soi-disant meilleure amie, à l'acné triomphante suivie d'un bac qui ne l'est pas moins, juchée sur ses escarpins vertigineux, la fac en ligne de mire, affublée, enfin, d'un fiancé. Comme tout le monde.

Il a lu le livre de la petite Kampusch. C'est sûr qu'elle ne dit pas tout mais tout est cent fois préférable à la mort.

Il a refait le parcours de la bicyclette jusqu'à en connaître chaque caillou. Il a questionné toutes les adolescentes en vacances pour savoir si elles avaient été abordées par un étranger autour de la date fatale. Il a passé des annonces cherchant des témoins.

Il fait son premier arrêt à la gendarmerie. La nouvelle affichette est son prétexte annuel pour leur rappeler Mélusine. L'oubli serait la pire des choses. Ce serait la tuer pour de bon. Déjà qu'il n'était pas là quand c'est arrivé. À toujours courir les routes avec ses échantillons de médicaments, ses listes et son bagout. C'est un bon métier pour les tueurs et violeurs en série, dit-on. Un bon prétexte pour bouger, être sur les routes, en mouvement constant, insaisissable. C'est pour ça qu'il a choisi ce métier. La routine, la répétition, le quotidien, ce n'était pas pour lui. Mélusine, il l'a vue grandir de loin, il n'était pas là pour lui apprendre, pour la protéger.

Véronique était trop laxiste. Il ne se rendait pas compte. Très sévère pour ce qui ne compte pas, le maquillage, la mode, mais coulante sur les sorties. « Il faut qu'elle apprenne l'autonomie. Je la responsabilise. » Et voilà comment l'enfant innocente s'est retrouvée seule et sans défense sur une petite route de bord de mer.

L'accident était possible. Il a bassiné les gendarmes avec ça et comme il était conscient que leurs effectifs ne pouvaient pas pourvoir à tout, il a lui-même fait le tour des garagistes. Un pare-chocs abîmé, un raccord de peinture inexplicable. Tout le monde le connaît dans le coin désormais, on le pense un peu fou.

Un jour, il a suivi une camionnette dont le flanc était rayé pile à la hauteur d'une pédale de bicyclette. Un chauffagiste avec une camionnette bien pratique pour transporter une gamine et son vélo. Le soir, il l'a vu rentrer chez lui, dans une maison chalet où l'attendaient sa femme et toute une marmaille bruyante.

Il en a pleuré à son volant. Tout ce qu'il n'avait plus. Il a attendu bien après que toutes les lumières se sont éteintes. Il est revenu le lendemain et le surlendemain, il a suivi toutes les tournées du type qui se déplaçait beaucoup, de chantier en chantier. Pas facile à suivre sans se faire repérer mais il y était arrivé. Il était sur une piste, il se sentait bien.

Et puis le dimanche, il a entamé la conversation avec le gamin de douze ans qui s'apprêtait à donner un coup de peinture sur la carrosserie abîmée :

– Dis donc, tu sais faire ça, à ton âge ! C'est fort.

Le gamin a raconté qu'il réparait une bêtise, il avait intérêt à bien faire. Il avait éraflé la voiture de son papa avec son vélo, il devait réparer. C'était ça ou l'argent de poche supprimé. L'homme est sorti de sa maison alors pour demander un peu rudement s'il cherchait quelqu'un ou quelque chose. Il se méfiait, le chauffagiste. Lui aurait fait pareil s'il avait vu un inconnu aborder Mélusine.

Quand sa femme était encore là, ils passaient des soirées à essayer des hypothèses :

– Tu crois qu'elle aurait suivi un inconnu ?

– Non, ça, c'est pas possible, c'est une règle, depuis qu'elle a deux ans pratiquement : jamais, jamais, jamais. J'avais même peur de la rendre timorée.

– Mais si un type lui demandait de l'aide ou qu'il disait qu'il venait de notre part...

– C'est vrai qu'elle aime bien rendre service. Son dernier truc, c'était d'être infirmière ou assistante sociale.

– Assistante sociale ? Où elle a pêché ça ?

– Elle s'est renseignée, figure-toi, elle pense que c'est un métier d'avenir à cause de la crise. Lisa veut faire mannequin et elle assistante sociale. Cherchez l'erreur.

Ils pouvaient sourire à défaut de rire.

– Tu n'as pas l'impression qu'elle nous cache quelque chose, Lisa ?

Ça, c'est lui, une intuition. Mais sa femme est persuadée que non, Lisa est effondrée de la disparition de sa copine, si elle savait quoi que ce soit, aussi répréhensible que ce soit, elle le dirait.

Sa femme avait, a sans doute encore aujourd'hui, un vocabulaire choisi. Elle était institutrice. Elle l'est toujours. Incompréhensible. Lui a arrêté de courir les routes, il s'est mis en congé. Trop tard pour Mélusine dont il a raté l'enfance, mais il ne la laissera plus jamais tomber. Savoir, au moins savoir. Il ne comprend pas que sa femme ne comprenne pas.

Le premier désaccord, c'est quand il s'est assis sur le lit rose à baldaquin de Mélusine pour penser à elle au plus près et qu'il a vu que sa brosse à cheveux avait été nettoyée. Sa furie était peut-être démesurée mais il aurait pu être consulté.

Ils ne faisaient déjà plus l'amour. La frénésie avait duré six mois, chacun agrippé au corps de l'autre, comme à un débris du naufrage. Elle, il ne sait pas, lui, ça ne lui faisait pas de bien. Un bref moment d'oubli suivi d'une culpabilité anéantissante. Sa femme se lovait contre lui, demandait le réconfort de la tendresse. Il se levait et sortait de la chambre. Elle le dégoûtait, il se dégoûtait. C'est elle qui a fini par le repousser. Définitivement.

Le jour aussi où elle a prononcé la phrase mortelle. Il venait de lui demander pourquoi elle ne faisait plus sa salade de crevettes et elle a répondu :

— C'était le plat préféré de Mélusine.

Il s'est senti inondé de la même rage glaciale qui lui a fait insulter les gendarmes, sauter à la gorge d'un ami qui lui conseillait de tourner la page. Mâchoire, regard, poings serrés à faire mal pour ne pas la tabasser sur place.

Elle n'a pas cillé, bien en face, d'un ton de totale exaspération :

— Qu'est-ce que j'ai dit?

— Tu as parlé d'elle au passé. Tu n'as pas le droit. Il ne faut pas.

Elle s'est mise à sangloter. Il a dit d'un ton très calme :

— Ne fais plus jamais ça.

Il se souvient très bien de son visage levé vers lui, baigné de larmes, de ses yeux flous, très ronds, qui lui donnent l'air perpétuellement étonné, les mêmes yeux que Mélusine, joie et douleur.

L'expression de Véronique n'était pas contrite, pas du tout, sidérée plutôt, comme si elle venait de comprendre un truc incroyable. Ils étaient à table. Ils venaient de commencer à manger. Très calmement, elle a ramassé leurs assiettes, vidé dans la poubelle le saladier, puis la poêle où grillaient des côtelettes d'agneau, puis la casserole de haricots verts

– Qu'est-ce qu'il te prend, tu es folle ou quoi?

– C'est toi, Frédéric. Tu es devenu dingue et tu vas me rendre dingue aussi. Tu crois exprimer de l'amour pour ta fille mais c'est pas ça, tu es devenu un exhibitionniste de tes sentiments. Tu les jettes à la gueule de tout le monde, comme si ça te rendait supérieur. «Oh, ce pauvre Frédéric, il a lâché son travail, renoncé à tout par amour pour sa fille. » Oui, je parle de Mélusine au passé parce qu'elle est morte. Moi, je le sais. Si tu écoutais ton cœur et ton instinct paternel qui doit bien remuer quelque part dans ton marécage d'espoirs factices, tu le sentirais comme moi. Tu veux savoir l'impression que ça me fait? Tu as toujours eu peur de la vie, et là, tu as trouvé un bon prétexte pour sauter du train en marche. C'est à ça que te sert la disparition de Mélusine, c'est une véritable aubaine pour toi. Elle t'a ôté toute humanité.

À ce stade, il est allé se réfugier dans les chiottes pour ne pas tuer Véronique sur-le-champ. Autopsie du couple : haine plus mépris, incompréhension absolue.

Quand il en est sorti, elle n'était plus là et c'est tant mieux. Il n'a rien à faire d'une femme qui parle de Mélusine au passé.

Elle n'a emporté que l'album de photos, un dessin «À ma maman chérie» couvert de cœurs roses pour la fête des Mères, et le vernis à ongles bleu clair qu'ils avaient trouvé dans sa trousse.

Si elle se contentait de ça, tant pis pour elle.

Il n'a plus touché à la chambre de sa fille pour qu'elle la retrouve intacte, elle aura besoin de repères pour récupérer son identité après tant d'années.

D'une certaine façon, il vit avec elle, lui parle, la tient au courant de ses recherches, de ses nouvelles initiatives, la supplie de tenir bon car il est là, sera là pour elle, toujours.

Il ne voit plus Véronique, ce qui lui convient parfaitement, merci.

Une petite silhouette aux jambes rondes et aux cheveux blonds très raides, avec une démarche de camionneur à rouler des épaules, s'éloigne sur le trottoir. Mélusine. Quel hasard incroyable ? Mélusine ! Il accélère dans la rue à sens unique bloquée par un camion. Il klaxonne en continu. Mélusine s'arrête, se retourne. C'est une petite Asiatique aux cheveux mal teints.

Il s'appuie sur le volant. Parfois, il se sent épuisé, en bout de course. Mais il n'a pas le droit de se laisser aller. C'est sa foi à lui et en elle qui la maintient en vie, il en est persuadé.

Après les gendarmes, il doit remettre à jour la liste des commerçants. Il se demande s'il ne devrait pas étendre son périmètre. Il va en parler à la prochaine réunion de l'APEV, des parents comme lui, à plusieurs ils peuvent peser. Difficile de couvrir toute l'Europe, ne serait-ce que dans les gares principales. Il y a une femme très active, très forte dans leur groupe. Elena. Elle connaît un cadre important à la SNCF.

Avoir des idées nouvelles lui fait du bien. Une piste inattendue permet de redémarrer une enquête au point mort.

Le camion dégage. Son portable sonne. Elena. Elle, c'est son tout petit garçon qui a disparu, à l'âge de trois ans. Une histoire de fous. Une maison isolée au bout d'une unique route, le jardin bordé d'une barrière infranchissable qui le sépare de champs à cette époque tout juste semés. On voit loin. Ses trois enfants jouent dehors. Elle va dans sa cuisine, les appelle pour le goûter, deux seulement rentrent. Elle appelle le petit dernier, elle finit par sortir. Il n'est nulle part. Introuvable. Jamais retrouvé.

D'une certaine façon, c'est encore pire que lui. Parce que là, le mystère est à portée de main, dans le périmètre de l'intimité. Aucune voiture n'est venue ni repartie. Quand elle cherchait son petit garçon, l'horizon était vide partout. L'enfant s'est littéralement volatilisé. Du coup, on l'a accusée, elle. Bien sûr.

Les parents sont toujours coupables.

– Oui, Elena, 19 heures, ça me va très bien. Je passe chez les gendarmes… j'ai la nouvelle affichette, oui.

Un coup de sifflet abrupt et agressif interrompt la conversation. Il cherche des yeux. Ah non, un de ces jours, il va péter un câble et ça va faire mal.

– Elena, c'est les flics, je vous rappelle.

Il baisse la vitre, se mord les lèvres pour ne pas hurler. Oui, il sait qu'il ne faut pas téléphoner en conduisant. Oui, il est désolé. Oui, il va leur donner ses papiers tout de suite.

Au lieu d'emmerder un citoyen inoffensif, vous feriez mieux de bosser pour retrouver les kidnappeurs, tueurs, pédophiles, violeurs, assassins, pervers, brutes dangereuses, psychotiques en liberté, déments en mal d'enfants, putain de merde de couillonnade, de bons à rien.

Mais il se tait, acquiesce, accepte patiemment le PV qu'il réglera dans la semaine, c'est sûr. Et il ne le fera plus, c'est promis.

Cela au moins, il l'a appris : le silence est la meilleure protection contre l'hostilité du monde au chagrin, dans une époque où le bonheur affiché est la valeur première. Monde de merde.

16

JEAN CHARDIN est parfaitement sincère quand il promet à ses parents de ne pas recommencer. Il n'a aucune envie de retourner en prison. Ce n'est pas que la vie y soit si déplaisante. Il s'occupait de la petite bibliothèque, il se sentait à l'abri, apprécié des matons parce qu'il ne faisait jamais d'histoires, et il y régnait une forme de camaraderie superficielle qui lui allait bien. Mais la prison ne peut durer qu'un temps. Être détenu, ce n'est pas une carrière.

C'est une chose que n'importe qui peut comprendre. C'est comme les restrictions ordonnées par le juge. Plus de travail avec les enfants, plus de contacts. Jean Chardin est respectueux de la loi : elle prescrit, il obéit. Il y a maldonne de toute façon, il n'est pas pédophile. Il le sait bien.

Ce qu'il est?

Un ogre.

Enfant, il avait peur des ogres, il avait peur du noir, il avait peur de tout. Parce qu'il ne savait pas que c'était lui, l'ogre. Pour le savoir, il fallait que quelqu'un le désigne, l'intronise en quelque sorte. Ç'a été le rôle de Violette. La vie déroule votre itinéraire avec une logique irréfutable. À vous de suivre la route prédéterminée, de vous fier aux panneaux, de ne pas essayer d'itinéraire bis.

Ainsi, il n'avait jamais eu envie de quitter la France. Déjà, quitter ses parents, ça avait été un arrachement, alors partir à l'étranger était inconcevable. Comment aurait-il pu imaginer que San Sebastián serait le lieu de la deuxième révélation ?

Rafael est espagnol. Il est bavard et passionné. Il sait que le travail intérimaire frustre son ancien collègue, que la solitude aussi lui pèse. De temps en temps, il lui prête une BD, à condition qu'il en prenne soin. C'est un signe d'amitié car il a un attachement de malade à ses bouquins. Jean n'a jamais osé lui dire qu'il n'aimait pas les bandes dessinées.

Rafael est en train de se construire une maison sur la côte près de San Sebastián, nul ne l'ignore, il en parle tout le temps. Il propose à son collègue de l'accompagner. Ils descendent en voiture et Rafael paye le séjour en échange d'un coup de main pour les travaux. Tout le monde sait que Jean Chardin a de l'or dans les mains. On est début juillet 1998, l'année du Mondial.

Ils travaillent tôt le matin et le soir. Le reste du temps, c'est la plage, la sieste, les potes qui passent. Bières et cannabis. La maison est à mi-chemin d'exister. Pour l'instant, il faut de l'imagination pour se la représenter finie. Jean a accroché un hamac dans la future chambre d'amis au-dessus du garage. Il est bronzé, il est en forme. Il se baigne en plein cagnard, met sa casquette et reste au soleil à regarder les baigneuses.

Plaisir des yeux, comme dit Mohammed, le patron du bar où ils vont regarder les matchs.

Certaines fins de journée, il emprunte la voiture de Rafael et se balade tout seul le long de la côte. Désolé, madame la présidente, ni repérage, ni anticipation, il adore la mer, elle lui fait du bien. Il est à l'étranger, libre, émancipé. Voilà. Il se rappelle très bien le jour où il envoie une carte postale à ses parents qui n'ont jamais quitté la France. Le fiston a fait son chemin. À sa sœur, il écrit : «Super vacances. On bosse, on boit, on bronze, on fait les 4 B. Le quatrième, espèce de cochonne, c'est des bisous pour tous.»

Voilà, il est seul et heureux sans sa famille, c'est la première fois. Parce qu'il n'est pas vraiment seul. Même s'il n'accroche pas avec les potes de Rafael. Ou plutôt avec les copines des potes de Rafael. Des pétasses essentiellement, vulgaires, trop de cheveux, trop de seins, trop de voix.

Pour ses balades improvisées, il choisit les petites routes à l'écart, parce qu'il aime bien sa tranquillité, il évite le regard des autres.

Quelque chose de furtif dans sa démarche, dans ses regards jetés derrière elle comme si elle était suivie et puis ses vêtements pauvres, pantalon, baskets, veste en coton, sale, pas repassée, et son sac à l'épaule, chaque détail lui fait immédiatement penser à une fugueuse. Une gamine perdue.

Tout se passe très vite. Il ne réfléchit pas. Il arrête la voiture, il ouvre la portière passager et baragouine de l'espagnol approximatif : *Ti porto a la casa ?*

Elle lui jette un regard noir de petite fouine et elle détale. Elle a compris avant lui. Il la rattrape, lui prend le bras, la tourne face à lui, elle essaie de lui échapper, ouvre la bouche pour crier. Pas le temps, il lui balance deux torgnoles à lui dévisser la tête, elle a les yeux pleins de larmes, pas parce qu'elle pleure, pas le genre, la douleur sans doute. Et la peur.

Elle dit d'une voix qui la ramène pas :

– *No comprendo*, Française.

Française. La chance.

L'autre chance, c'est que les petites routes de côté comme ça offrent toujours des bouts cachés, des endroits abrités du monde.

Il est en improvisation complète. Le bon point, c'est qu'elle comprend tout ce qu'il demande. Et sait de quoi il parle. Jeune, mais elle en a vu d'autres.

Il est obligé de se chauffer un peu parce qu'il sait, depuis qu'il a sauté de sa voiture pour lui courir après, qu'il ne pourra pas la laisser derrière lui. Ce serait trop la merde, avec Rafael et le reste. Il s'empêche de penser à l'après qui finit par arriver. Elle est agitée de sanglots secs, les épaules toutes secouées. Il devient gentil et lui demande si elle veut qu'il la ramène. Elle est avec ses parents ?

Rassurée tout à coup, elle lâche tout. De temps en temps, la vie vous sourit. Elle était placée dans une famille où le type n'était pas terrible, c'est lui qui a dû lui apprendre deux trois trucs, elle a passé la frontière pour leur échapper.

Jean a un sac de supermarché dans la poche. Il aime bien ramasser des coquillages. Il le lui met sur la tête et il entortille les deux bouts. Il est toujours assis sur elle, ce qui l'immobilise. Il n'éprouve pas de plaisir à ça. Il n'a pas le choix. Il la prend sous le bras, la jette dans le coffre, une bâche de chantier par là-dessus, et quand tout le monde dort, il creuse un trou supplémentaire et, au petit matin, il entame le boulot avant le réveil tardif de Rafael et l'arrivée des autres qui découvrent qu'il a déjà étalé le tout-venant, gravats, graviers, il est en train de poser le treillis.

Oui, c'est justement ce jour-là qu'ils doivent couler le béton. La vie parfois passe les plats dans le bon ordre. Mais il n'y retournera pas. Il ne pense pas le refaire. Sincèrement. Il met ça sur le compte des vacances, de l'exotisme, de l'opportunité. Ni vu ni connu. Un interlude.

Quand on rend service à quelqu'un, il vous le fait payer, c'est un paradoxe que Jean est bien placé pour observer.

Un matin, Rafael, émergeant à son habitude vers les 11 heures, le prend à part. Son accent en français espingouin s'est accentué depuis qu'ils sont à San Sebastián, ça le rend particulièrement lourd. Il s'excuse du manque de confort, de l'absence de salle de bains, mais il rappelle à son invité qu'il y a un jet d'eau dans le jardin et que ce serait bien de l'utiliser de temps en temps, après tout il fait chaud, ce n'est pas désagréable. Ils en sont tous là. À travailler sur le chantier, on transpire beaucoup et on finit par puer. Il prononce plutôt pouer mais le sens reste le même, insultant.

C'est vrai que Rafael et ses potes se mettent à poil pour un oui ou pour un non, se poursuivent au jet comme des gamins. Pas lui. On est pudiques chez les Chardin.

Pour qui il se prend le poilu comme un singe qui croque de l'oignon cru dès le matin? Mais ça, ça ne gêne personne, bien sûr.

127

Jean Chardin cache son écœurement derrière son sourire-masque, remercie son hôte de sa franchise et boude dans son hamac toute la journée. Il renifle ses aisselles, passe une mèche de cheveux sous son nez. Désolé, lui ne sent rien. Il ne peut quand même pas imaginer que la fugueuse ait déposé une odeur sur lui que seuls les autres peuvent sentir. D'ailleurs, il a aéré la voiture à mort. Toutes portières ouvertes. Par précaution.

Du coup, il profite du retour d'un des immigrés pour abréger son séjour et Rafael ne fait même pas mine de le retenir, alors que Jean, par politesse, s'est fourbi un alibi familial.

1999, il accepte de réveillonner chez les François avec Geneviève, l'infirmière qui est plus que prête à lui ouvrir les bras et le reste. Rien à faire. Il y a des limites au volontarisme. Elle a une grande bouche qu'elle garde ouverte quand elle mâche, elle parle fort et elle schlingue le désespoir, une noyée qui va vous entraîner au fond. Un fils délinquant, une fille débile et pas de mari.

Merci bien mais non, et bonne année !

En plus, on passe à l'euro et ça, c'est la mauvaise idée du siècle. La vie est déjà difficile mais quand on ne sait plus combien on paie ce qu'on paie, c'est affolant. En plus, il oublie de changer ses pesetas. C'est bien sa chance. Année de merde décidément.

17

ISABELLE éteint la lumière. Elle ne va pas dormir. Elle aimerait bien mais elle ne peut s'empêcher de guetter le moment où la comédie inutile va commencer.

Deux voix trop sonores, sans aucun naturel, Yann et sa mère :

– Bonne nuit. Rentre bien.

– Oui, à demain.

La porte d'entrée refermée trop fort. Des pas dits de loup, parfaitement audibles dans le silence. Un «aïe» étouffé. Comme chaque fois, Yann s'est pris l'angle de la commode. Ils la prennent pour une conne?

Ils chuchotent dans le noir, rigolent comme des gamins. Se font des «chut» exagérés. Si Lucas était encore à la maison, sa mère n'oserait pas.

Maintenant qu'ils sont à l'abri dans la chambre maternelle, Isabelle devrait dormir mais elle ne peut pas. Elle a envie de faire pipi. L'idée de tomber sur l'autre en caleçon dans le couloir la retient. En même temps, elle n'arrivera jamais à dormir si elle n'y va pas. Elle balance la couette sur le côté, ouvre la porte de sa chambre, écoute, regarde, ses yeux s'habituent à l'obscurité, le rai de lumière comme un phare sous la porte de sa mère.

C'est à son tour de marcher sur la pointe des pieds. Chez elle. Elle les entend se taire derrière la porte. Elle ne se souvient pas d'avoir vu ses parents s'embrasser.

— Ah, la chance, s'exclame Cécilia. Ma mère, elle se gêne pas. Et c'est jamais mon père !

Elles sont assises sur le muret des anciennes toilettes où elles n'ont pas le droit d'aller, mais Cécilia, par principe, fait tout ce qui est interdit et Isabelle suit parce qu'elle croit qu'il faut imiter l'audace pour l'acquérir. Cécilia se fiche de l'avis des autres. Elle est libre. D'ailleurs, elles vont s'installer ensemble quand elles seront étudiantes. Elles auront une décapotable et ne laisseront jamais de garçons s'interposer entre elles.

— Moi, je trouve ça chouette qu'elle se soit trouvé un mec. Un jour, tu vas t'arracher et elle restera seule. C'est bien qu'elle refasse sa vie. Elle est top ta mère. Tu as de la chance.

— Elle m'énerve. Elle rit tout le temps en cachant sa bouche, comme une ado. Elle a raccourci toutes ses jupes. Elle s'est acheté le même jean que moi et elle m'emprunte mes tee-shirts ! Elle est ridicule.

— Elle est jeune, ta mère !

— Tu rigoles ! Non, c'est que Yann est beaucoup plus jeune qu'elle, alors elle essaie de rajeunir. C'est ça qui m'insupporte. On dirait plus ma mère.

— Tu le trouves sympa, non ?

— Ouais, ça va. Mais c'est pas mon frère, ni mon père, et il va finir par vivre avec nous, alors que je ne l'ai pas choisi.

– T'as archi-raison, la fille doit choisir le mari de sa mère. Les mariages arrangés, c'est ce qu'il y a de mieux. Honnête, Isa, t'es dingue ! Et Lucas, qu'est-ce qu'il dit ?

Dès que Cécilia prononce le nom de Lucas, il se passe un truc. Isabelle est sûre que son amie est amoureuse de son frère. D'un côté, ce serait chouette, de l'autre ce serait horrible parce qu'elle perdrait sa meilleure amie, comme elle est en train de perdre sa mère. C'est ça l'amour, ça vous sépare des autres.

– Lucas s'en fout, il le voit jamais, juste une fois un dimanche à déjeuner pour faire les présentations. Il trouve qu'il a une drôle de tête.

Yann n'est pas un top model. Il a une tête bizarre et il est plus petit que sa mère, qui ne ressemble plus à rien depuis qu'elle joue sa parodie d'amour. Heureusement, il part souvent et longtemps à cause de son boulot.

Isabelle invite Cécilia à dormir chez elle. Un samedi soir choisi exprès.

– Vous ne voulez pas aller au cinéma ou quelque chose ? demande Claire.

– Ça t'ennuie ? On dérange ?

– Non, mais Yann vient dîner.

– Super, comme ça Cécilia va le rencontrer.

Isabelle est stupéfaite de voir Yann et sa copine cliquer dans la seconde. Quand Yann parle de son boulot, Cécilia pousse des petits cris aigus, excitée comme à un concert de Springsteen. Elle le prend pour un aventurier. Isabelle a l'impression de perdre une alliée.

C'est lui qui a préparé le dîner. D'accord, c'est bon, ça s'appelle des spare ribs avec du miel, mais il aurait fait l'Everest sans oxygène que Cécilia ne se répandrait pas en autant d'exclamations admiratives.

Comme chaque fois, Yann est aux petits soins pour Isabelle. Il a apporté des framboises parce qu'elle adore ça. Il lui offre le livre de sociologie imbitable dont elle a eu le malheur de dire qu'il l'intéressait pour faire l'intéressante. Ça lui apprendra. Elle va être obligée de le lire maintenant. Et bien sûr, eu égard à la présence de Cécilia, il rentre en vrai chez lui après le dîner, ce qui est le comble de l'hypocrisie.

Cécilia est montée de son matelas au sol sur le lit de sa copine où elles sont assises, dos au mur, Isabelle les jambes repliées sur l'oreiller qu'elle tient contre son ventre.

— D'ici deux mois, il s'installe à la maison, on parie ?

— La chance ! Qu'est-ce que je donnerais pour que ma mère s'en trouve un comme ça et le garde ! Il est gentil, il est sympa, il est cool, et ta mère, mais ta mère, c'est pas possible, tu l'aimes ta mère ?

— Ben oui.

— Elle est belle, elle a rajeuni, je l'ai jamais vue comme ça… Elle est relax, elle est gaie, elle est douce. Mais tu es gagnante de partout, ma vieille.

— Avoue que c'est débile de pas passer la nuit parce que tu es là !

— Non, c'est gentil.

Après avoir clamé son enthousiasme jusqu'à la nausée, Cécilia revient à des sujets plus intéressants, c'est-à-dire sa vie amoureuse. Isabelle qui n'en a aucune se demande si ça lui viendra un jour. Les seins sont venus, sans exagération, décelables à la loupe, les poils sont venus, les règles aussi, mais l'idée du sexe ne l'excite pas, ni ne la dégoûte. Son effrayante indifférence l'inquiète. Avec Florian, la vérité, c'est qu'elle est flattée. Toutes les filles dégoulinent pour lui. Et la scène d'amour qu'il lui a proposée est jolie à jouer, rassurante aussi, détachée.

Cécilia, elle, comme pour tout, n'a peur de rien. Sauf que là, elle est amoureuse pour de bon. Mohad. Beau gosse, c'est sûr, intelligent, c'est sûr, mais compliqué. Pour lui plaire, Cécilia joue à la jeune fille sage. Mais elle ne comprend pas, et quand on ne comprend pas, on disjoncte.

– Déjà, embrasser avec la langue, il m'a demandé où j'avais appris, que je faisais ça en professionnelle. Je lui ai demandé s'il me traitait de pute. Il m'a dit que je parlais mal.

– Il est pas religieux, Mohad, si?

– Ben non, rien du tout. Mais il me rend dingue. L'autre soir, il est resté dormir à la maison. Tu vois mon lit? Pas grand. Eh bien, il m'a tourné le dos tout contre le bord pour dormir. Ou il m'aime pas ou il est pédé.

– Il sort avec personne d'autre.

– Alors, à quoi il joue? Les garçons, en général, ils sont plutôt preneurs.

– Avec lui, tu irais jusqu'au bout?

– Ça, j'en sais rien. Mais je pourrais lui faire des trucs, pour lui faire plaisir, ça me ferait plaisir.

– Le sucer par exemple?

– Eh ben, Isa, tu en as du vocabulaire! Mais comment tu dis ça!

En fait, elle a entendu sa mère prévenir une autre mère qu'il y avait des garçons au collège qui se faisaient sucer par des filles et que les filles se soumettaient pour être bien vues des garçons. Et après, sa mère a essayé de lui en parler sans rien dire, ce qui ne facilitait pas la communication. Genre, est-ce que tu aurais entendu parler de trucs qui se passeraient dans les toilettes?

« Quel genre de trucs, maman?

– Eh bien, entre les garçons et les filles… »

– Tu en as entendu parler toi, Cécilia?

– Ouais, un peu.

– Un peu?

– C'est surtout des rumeurs.

– Et c'est quoi sucer?

– Ben comme avec une glace mais avec le sexe du garçon.

– Tu veux dire avec la langue?

– Tu le prends carrément dans la bouche.

– Mais c'est dégueulasse.

– Oui, mais les garçons aiment ça.

Là, l'amitié oblige Isabelle à se taire parce qu'il y a un lien qu'elle devine sans vraiment le comprendre entre ça et Mohad et le fait que Cécilia n'a pas une très haute idée d'elle-même.

– Si Mohad t'aime, il doit te prendre comme tu es parce que t'es la plus géniale. Et s'il veut que tu sois quelqu'un d'autre, laisse-le tomber.

Mine de rien, la conversation n'a pas été inutile. À observer sa mère et Yann ensemble, elle commence à se dire qu'il prend sa mère comme elle est, la totalité et les détails.

Isabelle passe une semaine de vacances avec son père et se rend compte qu'il fait tout le temps semblant, comme s'il avait lu le manuel du parfait père divorcé et appliquait les règles sans les avoir assimilées. Oh, il l'aime, à sa façon, elle en est certaine. Il lui demande comment ça va en classe mais si elle lui raconte vraiment comment ça va, il se met à bricoler un truc en disant «Je t'écoute, je t'écoute». Isabelle se méfie des affirmations qu'on répète deux fois.

Il lui passe un roman de Dumas qu'il a lu adolescent, *Le Comte de Monte-Cristo*. Qu'il lui a offert il y a deux ans, comme il ne s'en souvient pas, qui lui a tellement plu qu'elle l'a lu deux fois de suite, comme il ne se rappelle pas.

Et au lieu d'acheter les céréales au chocolat qu'elle adore, il prend celles au riz soufflé qu'elle déteste, et si elle s'en plaint, il dit :

– Tu peux faire un effort, c'est pareil.

Et puis il se permet de faire des remarques sur Cécilia qui n'est pas exactement l'amie qu'il aurait choisie pour sa fille.

– Ça tombe bien, vu que c'est pas toi qui les choisis, mes amies.

C'est fini. Elle se ferme. Elle n'aime pas ça mais quand ça lui tombe dessus, elle n'y peut rien. Et lui finit par lancer que depuis que sa mère a un amant... Ce qui démontre bien que c'est la seule chose qui lui pose problème. Sa fille, il n'en a, en vérité, rien à foutre.

Comme ce serait mesquin, elle ne lui demande pas des nouvelles de Babette, elle se tait. Parfois, c'est chiant ce truc en elle qui se bloque quand elle se sent raide, haineuse et malheureuse. Elle ne dit rien, sauf à sa mère en rentrant.

– Pour l'instant, je préfère ne plus voir papa... parce qu'il me gonfle. Point barre.

— Tu veux qu'on en parle ?

— Au secours, non !

L'été approche. Cécilia a rompu avec Mohad. Les deux amies ont conclu qu'il n'y avait pas grande perte, il est trop con. N'empêche que Cécilia a une petite mine et l'œil morne. Elle doit aller en Espagne chez sa grand-mère, son cauchemar annuel.

Comme chaque année, Isabelle ira en Normandie chez sa mamie, où Lucas promet de passer mais il aura sûrement mieux à faire. Avec un peu de chance, Cécilia la rejoindra à son retour en France, ce qui éviterait un été genre *Titanic* sans l'orchestre.

À une semaine du départ, Claire rejoint sa fille dans la cuisine où elle mange des tartines de Nutella. Ça fait un moment qu'Isabelle la voit venir et là, elle a chaussé ses gros sabots en bois épais. Elle aime sa mère, c'est une affaire entendue, sauf quand elle se trémousse sur son tabouret comme une gamine.

— Yann voulait t'en parler lui-même mais j'ai pensé qu'avec moi, tu serais plus à l'aise… Si tu préfères pas, on comprendra très bien. Mais est-ce que ça t'ennuie que Yann nous rejoigne chez mamie pour une ou deux petites semaines ?

Isabelle se dit, goguenarde, que ç'aurait été beaucoup plus carré avec Yann. Et elle y croit à fond que sa mère prendrait hyper bien qu'elle préfère pas.

— Mais, maman, tu invites qui tu veux ! Du moment que mamie est d'accord…

— Elle est carrément ravie. Tout plutôt qu'une fille vieille vieille fille. Mais tu es sûre, ça ne t'ennuie pas ?

— Tu préfères que je dise non ?

Tout le visage de Claire se détend. Isabelle se penche au-dessus de la table pour l'embrasser et se colle plein de Nutella sur la manche. Et il y a du sourire de partout. Elle est mignonne, sa maman, tellement soulagée. De toute façon, ça devait finir par arriver. Claire sera de bonne humeur. Si Cécilia vient, ça sera de bonnes vacances. Si Lucas passe, encore meilleures.

18

Procès de Jean Chardin

Dès que son père entre dans le tribunal, l'accusé le suit du regard. En vain. Son géniteur l'ignore, visage fermé, une porte de prison plus infranchissable que les grilles de la maison d'arrêt. Monsieur Chardin père ressemble à un petit taureau. Ses pas pressés annoncent qu'il n'a pas que ça à faire. Sa posture à la barre, dressé de toute sa taille minuscule, pieds en équerre, ses doigts boudinés agrippant fermement la barre, avertit qu'il a déjà hâte d'en avoir terminé.

Il décline son identité, Jean-François Chardin, père de l'accusé. En tant que parent, il n'a pas à prêter serment et, comme à chaque témoignage, la présidente lui demande de raconter les choses à sa façon, ce qu'il sait de l'affaire, l'histoire de sa famille.

Malgré la température plus que clémente, le père et le fils portent le même pull en grosse laine naturelle avec les mêmes torsades, le même col roulé simple, les deux lainages tricotés amples pour accommoder l'épaisseur des deux torses quasiment identiques.

Du fait main qu'on porte, moche ou pas, en signe de reconnaissance qu'amour et patience maternels ont présidé à l'ouvrage.

La mollesse corporelle du fils ne se retrouve pas chez le père, qui évoque plutôt une centrale bouillonnante d'énergie contenue.

— Ben, on est, on était une famille normale, sans histoires. J'ai fait un apprentissage en boucherie charcuterie. J'ai épousé ma femme à vingt-cinq ans et là... comment... j'ai décidé de m'installer à mon compte.

Son regard éteint s'anime pour raconter son désir d'être patron, à son compte sans avoir à en rendre à quiconque, l'emprunt trop lourd pour un chiffre d'affaires qui aurait dû progresser plus rapidement et la faillite. Il ne se plaint pas, ne parle pas d'injustice, juste de malchance, mais l'humiliation est encore palpable, soulignée par l'accélération soudaine de son débit, qui indique sans doute aussi son envie d'en finir avec ce moment douloureux. S'il exprime sa reconnaissance pour son ancien patron qui l'a embauché et lui a laissé l'appartement au-dessus de sa boutique, au moins le temps qu'il rembourse ses dettes, ce qu'il a bien l'intention de faire, l'amertume paraît et même le ressentiment qu'il est difficile de ne pas éprouver pour ceux dont on est les débiteurs.

L'homme ne plaisante pas avec la morale. On assume. C'est ce que doit faire son fils, désormais, assumer. Parler est clairement une épreuve pour monsieur Chardin, évoquer son fils lui provoque des étouffements soudains avec quintes de toux. Il revisite le passé familier et banal, mettant en scène un garçon gentil,

139

serviable, toujours le mot pour rire. Alors, en 1991, les premières plaintes, le premier jugement...

– Bien sûr, ça a été un choc, mais je dois avouer que... Il était pas très mûr pour son âge... on a pensé que c'était un truc de gamin et que dès que... qu'il se serait trouvé une fiancée, il marcherait droit. Et comme après, il a trouvé du travail. Un de mes clients l'a embauché, monsieur Ménard... il a pu avoir son appartement. Ça allait, comment, dans le bon sens. Et il nous a promis que plus jamais. C'est ça. Je lui ai fait confiance. Alors, quand j'ai appris qu'il avait, pas seulement recommencé, mais que là, c'était... plus grave. Enfin qu'il s'agit d'un viol sur mineure. Là, fini, quoi, j'ai fait une croix dessus.

La présidente attend, compte sur le poids du silence pour provoquer les confidences. Monsieur Chardin oscille d'avant en arrière sur la pointe des pieds, comme on prend son élan. À cause du pull ou de l'inconfort général de la situation, la transpiration coule en filet sur sa tempe mais il garde le cou dressé, le regard sans esquive fixé sur la présidente qui feuillette quelques papiers devant elle, relève la tête avec son air de neutralité bienveillante. Elle précise à la cour que monsieur Chardin ne va jamais au parloir, qu'il a décidé de rompre tout lien avec son fils. Peut-il s'expliquer là-dessus?

– Il a trahi ma confiance, il n'a pas tenu sa parole, et ce qu'il a fait... C'est pas pardonnable. Je l'avais prévenu.

Jean Chardin, qui s'essuyait discrètement le coin des yeux depuis un moment, ouvre plus grand les vannes de son émotion. La greffière lui fait passer une liasse de mouchoirs en papier, tandis que son avocat le regarde avec compassion et lui tapote la main.

– Votre fils nous a expliqué que vous parliez peu dans la famille. Quand vous discutiez tous les deux, c'était de quoi ?

– On parlait de l'essentiel...

– Comme... ?

– La santé. Le boulot.

– Et sur sa vie sentimentale, l'amour... les filles... ?

– Non, ça, c'est son, comment, jardin secret.

Quand la présidente revient sur cette drôle de situation, un garçon adulte qui dort dans la chambre de ses parents, le père hausse les épaules. Pas le choix. La situation était difficile pour tout le monde.

– Pour vous aussi. Pour votre intimité...

Le père hausse les épaules comme si l'intimité n'était pas à considérer, pas une priorité en tout cas.

– C'était provisoire. D'ailleurs, il a fini par s'installer tout seul.

– Et ça, ça s'est passé comment ?

– Bien.

Chaque réponse s'accompagne d'un imperceptible haussement d'épaules qui ne pointe pas la débilité des questions de la magistrate mais plutôt leur flagrante inutilité.

– Votre fils déménage et là, vous et votre femme le suivez. Vous allez rester un peu plus d'un mois chez lui.

– C'était provisoire.

– C'est vous qui avez décidé d'aller chez lui ?

– C'était juste pour l'aider à s'installer.

– Il avait quel âge à ce moment-là ?

– Vingt-six, vingt-sept ans... et on est restés à peine un mois, le temps de le mettre en route.

– Et après?

Lever de sourcils interloqués.

– On a continué comme avant, le dimanche chez mon gendre et ma fille, et de temps en temps il faisait une petite visite à la boucherie.

– Mais ce n'est pas tout...

Relever de sourcils.

– Vous n'alliez pas chez votre fils tous les quinze jours avec votre femme?

– Si. Pour faire le ménage. Tant qu'il n'était pas marié.

– Tous les deux, votre femme et vous?

– Oui.

– Et vous passiez la nuit à chaque fois.

– C'était plus facile comme ça.

La présidente n'en obtiendra pas davantage. Elle aborde ensuite la question de la solitude dans laquelle vivait Jean Chardin, demande si son père ne s'en inquiétait pas.

– Il nous avait, nous. Et puis il avait ses copains.

– Vous les connaissiez? Il les avait amenés chez vous? Ou chez sa sœur?

– Non, je ne les connaissais pas personnellement mais il nous en parlait.

– Il vous racontait quoi par exemple?

– Ben, qu'il était allé au bistrot avec des copains.

– Et vous le croyiez?

– Pourquoi il nous aurait raconté des histoires?

Deux mondes semblent s'affronter sans pouvoir se

rencontrer. L'ancien où le silence protège, le moderne où la parole libère.

La présidente tâche de garder son ton neutre et attentif mais son débit perd en souplesse, sa voix parfois se perche légèrement et elle repousse sa mèche derrière l'oreille encore plus souvent. Elle aborde la question des films pornographiques.

– Oui, il en avait, on le savait.

– C'était aussi son jardin secret?

– Ça ne nous regardait pas, en tout cas.

– Et vous, vous en regardiez? Seul ou avec lui?

– Ça a pu arriver.

Monsieur Chardin s'efforce de garder le regard droit mais tout cela l'embarrasse. Pas le fait en soi mais l'intimité ainsi dévoilée.

– Je vous embête, je sais, c'est nécessaire. Vous le comprenez? Votre fils risque une longue peine de prison et les jurés ont besoin de savoir un maximum de choses, vous le comprenez? Je sais que vous ne vouliez pas venir mais maintenant que vous êtes là...

– Je suis là.

Trois mots simples prononcés avec une belle dignité.

Léger soupir de la présidente. Elle repart à l'assaut de la forteresse. Jean Chardin disait aller au bistrot avec des potes que la famille n'a jamais vus, d'accord. Mais est-ce qu'il a déjà présenté une jeune fille à son père? Non? Et ni lui ni sa femme ne s'en sont inquiétés?

– Il n'avait pas trouvé la bonne.

– La bonne?

– Comme on dit chaussure à son pied, bonne taille, bonne entente.

– Est-ce que vous diriez, monsieur Chardin, que vous formez, formiez une famille fusionnelle ?

– Non, une famille normale. Une famille unie.

– Une famille normale, une famille unie, dans laquelle on n'aborde aucun problème, dans laquelle on ne s'inquiète de rien.

– Mais il ne se passait rien de grave. Sinon…

– Mais quand il y a eu cette première histoire d'attouchements, là, il se passait quelque chose. Au parloir, quand vous alliez le voir, vous en parliez avec votre fils ?

– De ce qu'il s'était passé ?

D'abord sincèrement horrifié par cette suggestion, il se reprend :

– Bien sûr, je lui ai demandé comment il avait pu faire ça et il m'a dit qu'il ne comprenait pas, il était désolé, il était conscient que pour nous c'était une honte énorme et qu'il saurait se faire pardonner, qu'on n'aurait plus jamais à avoir honte de lui.

– Vos parents étaient encore vivants quand votre fils est passé en jugement. Vous en avez parlé avec eux ?

– Oh non. Ils n'auraient pas apprécié. Avec mon père, on parlait encore moins. J'ai été élevé comme ça et on ne peut pas dire que c'était une mauvaise éducation.

La présidente, presque désemparée, cherche dans ses notes, à court de questions, demande à ses assesseurs, aux jurés, s'ils en ont.

Isabelle considère l'homme à la barre et chuchote quelque chose à l'oreille de son avocate, qui se lève et annonce qu'elle a une seule question pour le témoin : a-t-il remarqué un changement chez son fils après son emménagement dans son propre appartement ?

144

– Oui, c'est là qu'il a commencé à beaucoup grossir. On est tous costauds dans la famille, mais là…

L'avocat de la défense, lui, l'interroge sur les appellations familiales. Madame Chardin n'avait-elle pas un petit surnom particulier pour son fils ?

– Mon gros bébé.

Il a suffi d'un coup d'œil farouche de la présidente pour que le public étouffe ses rires prêts à fuser.

– C'est vous qui faites le ménage chez vous, monsieur Chardin ?

Tête du père plus éloquente qu'une réponse, genre vous êtes dingue ou quoi ?

– Alors, pourquoi accompagner votre femme pour faire le ménage chez votre fils ?

– Parce qu'on fait les choses ensemble, comment, en famille.

– Jamais de tête-à-tête, mère-fils ou père-fils ?

Monsieur Chardin interroge l'avocat du regard, c'est une question qu'il ne comprend pas. L'avocat lui indique qu'il doit répondre à la cour. Monsieur Chardin fait docilement face aux jurés et dit, en hésitant devant l'incongruité de la question, que non.

La présidente demande alors à l'accusé de se lever. Il semble vouloir effacer son encombrante carcasse, un énorme scarabée qui nierait sa carapace terriblement visible. Tout lui demande effort, garder les yeux secs, empêcher sa voix de trembler, cette voix étonnamment douce et harmonieuse même dans ce moment difficile. Il parle en direction de son père qui ne le regarde pas, profil têtu. Il n'a rien à reprocher à sa famille, il a eu une enfance heureuse, il comprend son père même si c'est la pire des punitions, mais à sa place, il aurait fait pareil, il se serait exclu. La présidente fait une dernière tentative pour remettre cette famille sur les rails de la normalité telle qu'elle la conçoit :

— Monsieur Chardin. Peut-être qu'en ce moment votre fils a besoin de vous comme jamais. Regardez-le, s'il vous plaît.

Le père se retourne d'un air de défi, il n'est pas près de céder ni à l'émotion, ni à l'injonction.

Son fils le regarde, l'œil humide, suppliant malgré lui.

— Non, c'est fini, je l'avais prévenu. Je ne lui veux pas de mal mais c'est sa vie.

La présidente libère le témoin, Jean Chardin se rassied et récupère avec gratitude une nouvelle poignée de mouchoirs en papier.

Isabelle contemple le plafond avec intérêt et note quelque chose sur un papier qu'elle glisse vers son avocate.

19

INTERNET grouille de dingues en tous genres mais l'espoir demeure qu'y surgisse inopinément un esprit sain, une personne crédible, quand elle affirme avoir rencontré Irène Nemski sur une plage des Antilles ou l'avoir pour voisine depuis trois ans.

La police a refusé d'ouvrir une enquête sur le départ volontaire, après une dispute, d'une jeune femme disposant d'un passeport et d'une totale liberté de mouvement.

« Elle a choisi de vous quitter, ne savait pas comment le faire, cela arrive, elle a choisi la façon la plus abrupte, peur du mariage à venir, de l'engagement, on a vu ça aussi. Ou bien la rencontre. Ou bien elle avait peur de vous. Désolé, mais vous êtes la personne la plus mal placée pour avoir les idées claires sur le sujet. » Voilà ce que les représentants de l'ordre lui serinent.

Steve a même sollicité le père d'Irène pour qu'il lance une recherche dans l'intérêt des familles. La rencontre a été accablante :

– Écoutez, mon petit Steve, vous connaissez Irène

aussi bien que moi, mieux sans doute. Vous savez le nombre de fois où elle a fugué pendant l'enfance?

– C'était après la mort de sa mère.

– Oui, mais toutes les petites orphelines ne partent pas en stop sur les routes, prêtes à faire confiance au premier venu. Elle, si. Et elle n'a pas changé. Je ne pouvais pas vous le dire, mais je n'imaginais pas Irène mariée. Je vous trouve sympathique, et vraiment gentil et courageux, mais vous êtes jeune et naïf. Irène est profondément déséquilibrée. Personnellement, j'ai toujours pensé qu'elle finirait par se suicider. Ses hauts étaient des pics aussi élevés que ses bas étaient profonds. Je suis désolé, c'est l'heure du biberon. Vous l'entendez brailler, c'est ma petite dernière, Macha, un appétit!

Il règne un boxon terrible dans l'appartement. Une pile de linge dégouline de la table à repasser dépliée devant la télé. Dans un parc en plastique bleu décoré avec des animaux de zoo, une minuscule blondinette hurle, bouche grande ouverte sur un cri continu, pendant qu'un garçonnet de quatre ans, imperturbable, décore la table basse à grands traits de feutres indélébiles.

– Je regrette que mon épouse ne soit pas rentrée, j'aurais été ravi de vous la présenter. Qui l'eût cru? Rencontrer la femme de ma vie à cinquante ans, c'est bien la preuve qu'il faut garder espoir. Croyez-moi, oubliez Irène, vous êtes jeune, elle l'est encore plus, ce sont des âges où l'on confond souvent l'amour avec son clone.

– Trois ans sans nouvelles, ça ne vous inquiète pas plus que ça?

– Elle est débrouillarde, Irène, c'est justement parce que ça fait trois ans que je ne m'inquiète pas. Rappelez-vous, elle a voulu être émancipée à seize ans et, à partir de là, elle ne m'a plus rien demandé.

– C'est un papier, juste un formulaire, recherche dans l'intérêt des familles.

– Non. Ça, non, je ne le ferai jamais. Irène est une femme libre, je respecte ses choix, sa volonté.

– Même si elle s'est suicidée ?

– Allons, soyez sérieux, on aurait retrouvé le corps.

– Et si elle a été assassinée ?

– Là, vous faites du mélodrame, Steve. Un conseil d'un homme qui pourrait être votre père... en ayant commencé jeune. Ne vous enfermez pas dans les regrets de l'amour impossible. Ne laissez pas passer la vie. Où qu'elle soit, je suis sûr que c'est ce qu'Irène voudrait. Venez dîner un soir.

Steve secoue la tête, aucune formule de politesse ne lui vient, se succèdent, inexprimées, une série d'insultes violentes pour ce pauvre mec infoutu de s'occuper de son premier enfant, et qui en fait deux de mieux, en pensant peut-être qu'une expérience néga-tive en vaut deux de positives. Irène est une miraculée de ne pas avoir fini en HP. D'ailleurs, si, elle a fini en HP, excuses. Provisoirement.

Lui adorait son côté imprévisible, ses sautes d'hu-meur, son originalité fantasque qu'il ne voyait pas comme une pathologie. Comment imaginer que quelqu'un disparaisse de la surface de la terre sans laisser de traces ? Mais si, cela arrive. 44 000 dispari-tions chaque année. Il a consulté les statistiques, lu des enquêtes, car certains disparus réapparaissent.

Il passe devant une église et entre. Il est devenu accro aux églises, par superstition peut-être. C'est le seul endroit où il lui semble que quelqu'un, Dieu, lui propose de l'aide. L'écoute en tout cas. Alors il allume un cierge, s'assied dans la fraîcheur, écrasé par la hauteur de la nef, et sans doute prie-t-il. Irène détestait les églises qui lui rappelaient les bonnes sœurs du pensionnat de son enfance.

« Comment peut-on contraindre les gens à vivre avec l'image d'un supplicié ? On était des petites filles, et on devait dormir sous la représentation d'un homme cloué à deux poteaux de bois, des épines enfoncées dans le crâne, dégoulinant de sang. C'est un truc de oufs, t'es d'accord, non ? »

Pour la faire enrager, il défendait l'idée du sacrifice. De quelqu'un qui se sacrifie pour racheter les fautes à venir d'inconnus. Lui maintenant implore qu'il lui soit un jour accordé de recevoir un signe, une information, de savoir.

« Tu sais l'essentiel : Irène n'est plus là, tu es un homme libre », lui a dit son ami Éloi, prudemment en ménage avec la même fille depuis ses dix-sept ans, mais pratiquant forcené des sites de rencontres et prosélyte convaincant.

Steve s'est forcé au début. Il a posté son portrait sur Meetic truffé d'indices que seule Irène pouvait décrypter. C'est fou le nombre de femmes de tous âges qui se sont bousculées pour consoler cet homme jeune et amoureux ayant perdu sa compagne. Des femmes. Jamais Irène.

Il s'est pris au jeu. Dès qu'il avait un moment de libre, il pianotait, repérait les nouvelles venues, triait les

150

anciennes, changeait de pseudo, allait aux rendez-vous et s'épuisait de lit en lit, de sexe en sexe. Le charme des corps un peu fanés, la vitalité des très jeunes avides de sensations fortes, les tendres, les brutales, les sentimentales, les cœurs de pierre. Voyage au pays des femmes.

Une de perdue, deux cents de retrouvées. Don Juan chez Meetic, bien au-delà des *mille e tre*. Consommation de la chair jusqu'à écœurement. Deux ans plein pot, trois mois de sevrage, une petite rechute, et maintenant une vie de moine.

Non pas qu'Irène soit irremplaçable, mais le vide qu'elle a laissé ne saurait se combler, c'est ce que personne ne peut comprendre. Désormais, il macère dans son malheur. Comme il se tait, ses amis le croient guéri.

S'il la savait quelque part, vivant sa vie, même avec un autre que lui, le chagrin finirait par s'estomper. Mais la disparition alimente les questions à l'infini.

Le corps d'Irène, l'odeur d'Irène, le pied d'Irène s'enroulant autour de sa cheville pour s'endormir, les réponses automatiques de son corps dans le sommeil, ses hurlements de contrariété pour des soucis minuscules et son sang-froid devant les événements majuscules, ses absences soudaines dont elle émergeait grave et triste, son rire tonitruant. Des puits d'ombre et des éclats de soleil. C'était ça, Irène, terre de contrastes. Resterait-elle irremplaçable, s'il la savait morte?

Pourquoi cela fait-il une telle différence? Rationnellement, cela ne devrait pas. L'amour échevelé dure trois ans, un gros chagrin d'amour idem, mais le chagrin de la disparition semble durer toujours.

Il regarde l'heure, il va être en retard, il doit courir. Il ne peut pas se permettre de lâcher sur le boulot car les recherches lui coûtent un argent fou. Vaines, pour l'instant. Ne pas laisser une pierre non retournée. Comme pour un cafard. Mon petit cafard noir chéri.

Le rendez-vous se déroule en anglais. Les États-Unis, c'est la chance d'être repéré par le plus gros cabinet d'analystes industriels qui se trouve être américain, et là, le ciel sera la limite de leur expansion. Gestion marketing multicanal, e-mails mobiles, courrier centre d'appels, ils ont fait leurs preuves après avoir long-temps tâtonné. Depuis le départ d'Irène, le chiffre d'af-faires a explosé, les nouveaux associés ont investi sans rechigner au moment du creux économique. Depuis le départ d'Irène, tout est devenu un immense jeu sans conséquence. Ses partenaires retiennent parfois leur souffle en le voyant tenter une figure impossible et la réussir en funambule. La vérité est qu'il ne sait plus quoi tenter pour retrouver la trace de la disparue. Il se déplace de plus en plus à pied, comptant sur le hasard. La bousculer inopinément sur un trottoir.

Il se rejoue inlassablement leurs dernières séquences.

S'ils étaient rentrés à l'hôtel, les choses auraient-elles tourné différemment? Si elle était allée se baigner avec lui au lieu de se jeter sur son portable? Petite Irène, s'il avait eu quelque chose à cacher, il aurait trouvé une meilleure planque. Et s'il avait couru derrière elle?

Il se tâte le torse pour tripoter la bague qu'il porte en sautoir, cette bague qu'il n'a pas eu le temps de lui offrir et qui reste comme un petit bout d'elle contre sa peau. Une phrase de la psy a suffi pour qu'il n'y retourne plus jamais :

« Tant que vous n'aurez pas fait le deuil d'Irène, vous ne pourrez pas faire de rencontre amoureuse. »

Faire le deuil d'une personne qui n'est peut-être pas morte. Faire une rencontre amoureuse comme on fait sa gym ou la vaisselle. Merci, il survivrait sans Freud, Lacan ou Jung, comme ont fait les hommes pendant quelques siècles sans s'en porter plus mal.

Irène s'éloigne à grandes enjambées, digne et pressée, balance sa queue de cheval droite gauche sur un rythme furieux, sautille soudain et se tord le pied dans le sable mou. Elle ne se retourne pas. Il n'a pas la dernière image de son visage, même renfrogné ou tirant la langue comme elle fait quand elle est outrée. Peut-être pleure-t-elle un peu. Peut-être a-t-elle une plaque de sable séché sur la tempe. Peut-être ne sent-elle même pas la piqûre d'abeille sur son épaule, dont elle s'est plainte pendant une demi-heure alors qu'il lui avait rapporté une glace à la pistache, son parfum préféré.

Il n'a pas attendu qu'elle disparaisse derrière la dune. Il a appelé le restaurant pour parfaire la soirée, le clou du séjour. Et il lui a envoyé un texto dont il ne saura jamais si elle l'a reçu.

20

L'APRÈS-MIDI du 11 juillet 2009, Cécilia est en bikini sur le balcon de sa grand-mère qui marmonne des «vergüenza» et autres mots désagréables en passant l'aspirateur qu'elle a déjà passé hier, comme Cécilia a la gentillesse de ne pas le lui rappeler. Rien que pour faire chier sa petite-fille, l'aspirateur.

Cécilia se concentre sur ses orteils délicatement séparés par des petits bouts de ouate. Son projet est de se peindre les ongles alternativement en vert clair, vert moyen et vert foncé, mais 10 n'est pas divisible par 3. Donc, elle improvise. La ouate colle au vernis et gâche l'effet lisse désiré. Putain, déjà elle se fait chier comme un rat mort, mais en plus, tout la contrarie, même quand il ne s'agit que de se peindre les ongles des pieds. La musique de *24 heures chrono* retentit. Isabelle. Le téléphone à l'international, ça va leur coûter bonbon, mais ça doit être chaud brûlant parce qu'elles ont skypé une heure ce matin et Isabelle est la raison incarnée. Enfin un événement en ce morne été.

Cécilia lance un joyeux :

— Salut poupée !

Elle entend en réponse des sons brouillés. Ce n'est pas que la communication ne passe pas, Dieu merci chez sa grand-mère, il y a du réseau.

– Quoi? J'entends pas. Bouge, je t'entends en version sous-marin.

Les bruits étranges mélangent sanglots et aspirations bruyantes. Un mot sur cinq est audible, ce qui est insuffisant pour reconstituer les phrases.

Isabelle ne pleure jamais. C'est une des raisons pour lesquelles Cécilia l'aime. Elle l'a tout de suite repérée au bahut. Celle que les autres appellent en ricanant, mais impressionnées quand même, « la solitaire ».

Intimidante. Silencieuse. Polie. Pas chialeuse. Économe. Et un sourire à changer la vie. Tout en longueur. Cécilia ne sait pas sourire, elle rit ou rien. Aux éclats de préférence. Et au début, Isabelle lui dit vous, ce qui est génial.

Bon, elles se tutoient maintenant et Isabelle sanglote, son corps tremble dans sa voix. Il s'est passé quelque chose de grave. Cécilia pense tout de suite que quelqu'un est mort. C'est forcément Claire ou Lucas parce que le reste du monde, Isabelle s'en fout.

La bonne nouvelle c'est que personne n'est mort, la mauvaise c'est qu'Isabelle vient de se faire agresser.

– Qu'est-ce qu'ils t'ont pris? Tu t'es fait voler?

– Rien. Violée.

Cécilia saisit d'un coup la contradiction des deux termes en même temps qu'elle mesure son impuissance. Elle est trop loin. Elle dit à son amie :

– Attends, calme-toi, respire. Tu es où?

Isabelle ne sait pas où elle est. Ça commence bien.

– Tu es seule? Ça vient d'arriver? Tu es blessée?

Les réponses s'organisent peu à peu. Isabelle rentrait de la plage à vélo, Cécilia connaît le trajet, elles l'ont fait ensemble souvent. Dans un pré, derrière des arbres. Un type masqué mais elle sait qui c'est. Elle a marché et trouvé quelqu'un qui est là, pas loin. Elle attend sa mère. Il l'a fait tomber. Son vélo est resté là-bas.

Il lui a fait mal?

Ça va.

Elle sait qui c'est? Elle le connaît? Elle ne s'est pas méfiée? C'est qui?

En vérité, elle ne sait pas, mais c'est le même, enfin, elle l'a déjà rencontré, il y a longtemps, quand elle était petite. Elle avait oublié.

Oublié?

Oui, tout est revenu quand elle l'a vu dans l'eau.

Elle ne pleure plus, mais maintenant sa précipitation à raconter escamote les mots. Ils sortent à toute vitesse, comme les foulards du magicien, noués, tirés du poing fermé, dans une farandole interminable et si rapide qu'on ne voit rien que les couleurs fortes, tranchantes, qui se succèdent. C'est une vieille histoire apparemment, un truc d'il y a longtemps dont elle n'a jamais parlé à Cécilia. Et pour cause. Elle ne s'en souvenait pas, ce qui semble hautement improbable à l'amie accrochée à son téléphone sur son balcon ensoleillé.

Cécilia ferme les yeux et gueule qu'il faut couper l'aspirateur. Le visage inquisiteur de sa grand-mère se pointe au bout du cou décharné et Cécilia lui fait signe de rentrer, lui fait signe de se tirer, lui fait signe que c'est grave. En dépit de son affection sincère, elle est surexcitée par la nouvelle.

156

La mamie vient s'asseoir en face de sa petite-fille et scrute son visage à défaut de comprendre les mots.

Isabelle supplie Cécilia de ne pas quitter parce qu'elle a peur, elle ne veut pas rester seule.

Elle a peur qu'il revienne ? Mais elle n'est pas seule. Il y a quelqu'un pour la protéger. Non ? Elle ne lui a pas dit qu'il y avait quelqu'un près d'elle ? Elle est blessée, elle a mal ?

Cécilia a des visions de sang, de sang qui coule, coule le long des jambes, un visage tuméfié, un œil noirci, des griffures, des bleus, et tente de se calmer.

Progressivement, le débit d'Isabelle ralentit. Elle a tout fait pour qu'on puisse le retrouver. On va le retrouver. Mais c'est après... Il voulait la tuer. C'est quelqu'un qui viole et qui tue. Ça, elle le sait, il voulait la tuer, d'abord il voulait la tuer.

Cécilia entend l'hystérie monter à nouveau dans la voix de son amie.

– Il t'a menacée ?

– Non, mais je l'ai reconnu et je sais. Ça se sent.

Cécilia essaie de rester raisonnable, alors qu'elle est gagnée à son tour par la panique. Un tueur en série peut-être. Isabelle victime d'un tueur en série. Elle voit l'enterrement, la famille, Lucas qu'elle soutient. Elle a honte mais ne peut s'empêcher de dérouler un film en 3D dont elle est l'héroïne.

– Il ne t'a pas tuée. Pourquoi tu dis qu'il voulait te tuer ?

– Parce que je l'ai empêché.

– Tu l'as tué ?

Un autre film commence immédiatement, la prison noire pleine de barreaux, Isabelle en blouse grise et

Cécilia lui donnant solennellement sa bague préférée. Larmes.

Au téléphone, elle essaie de deviner, d'anticiper, d'aider. C'est dommage qu'elles ne soient pas sur Skype. Sauf que ce serait difficile pour Isabelle d'avoir accès à un ordinateur en pleine cambrousse.

Isabelle n'a pas compris la question :

– Hein ?

– Est-ce que tu l'as tué ? ou blessé ?

– Mais non, comment veux-tu ? C'est un colosse.

– Tu as réussi à t'enfuir ?

Isabelle s'irrite :

– Mais non, c'était impossible, je te dis.

– Mais alors, comment… ?

– Je lui ai parlé.

Isabelle énonce ça comme une évidence : J'étais face à un lion affamé, je lui ai parlé, il s'est tiré.

On verra ça plus tard, pense Cécilia, rudement fière quand même d'être l'interlocutrice élue. Il faut essayer d'être à la hauteur de la situation. Poser les bonnes questions, donner les bons conseils :

– Tu as appelé ta mère ?

– Oui, oui, elle va arriver.

– Écoute-moi bien, il faut tout de suite prévenir la police. Ils te protégeront, ils sauront quoi faire.

Là réapparaît l'autre Isabelle qui la fascine et parfois l'inquiète :

– Je ne veux pas qu'on me protège, je veux m'occuper de lui. Le mec est mort.

Elle le dit calmement comme un fait accompli après avoir affirmé qu'elle ne l'avait pas tué. Elle plane.

– Tu as dû marcher longtemps ?

– Je ne sais pas.

Cécilia l'entend demander l'heure à quelqu'un. Un temps.

– Je ne sais pas. Il est 18 h 20.

Cécilia sait l'heure qu'il est. Elle se creuse la tête pour tenir une conversation concrète, qui ancre son amie dans le réel. Dans le quotidien, le normal.

– Tu as marché vers la plage ou vers le village ?

– Non, j'ai coupé, je crois. À travers champs. J'avais peur qu'il revienne.

– Il ne reviendra pas.

Cécilia aimerait en être sûre.

– Je vais rentrer en France. Je vais prendre un avion demain.

– Non, non, ce n'est pas la peine. Je vais être occupée. J'ai juste besoin de te parler.

– Je suis là.

– Tu comprends, elle chuchote si bas que Cécilia se concentre pour entendre et après, pour être sûre qu'elle a bien entendu. Il en a déjà tué d'autres.

– Mais pas toi, toi, il ne t'a pas tuée. Comment est-ce que tu peux… ?

– Je crois que c'est maman. Il faut que je raccroche. Je vais avoir besoin de toi, Cécilia. C'est ma mère. Je te rappelle.

Et le silence.

Cécilia reste avec son téléphone, il lui semble sortir d'un mauvais rêve. Que cela arrive à quelqu'un de proche, c'est déjà impensable, mais à Isabelle qui n'est jamais sortie avec un garçon, Isabelle la forte si fragile, que Cécilia aime tellement, c'est la pire des injustices.

Elle essaie d'expliquer la situation à sa grand-mère, qui lui fait le grand huit tout le restant de la soirée, comme si ça lui était arrivé à elle, Cécilia, comme si l'escalier de l'immeuble grouillait de violeurs sadiques tapis dans l'ombre, comme si ça justifiait toutes les interdictions passées, présentes et à venir.

Cécilia n'aurait jamais dû lui dire la vérité. Une bonne leçon.

21

Au retour d'Espagne, après y avoir mûrement réfléchi, Jean Chardin se met en quête d'un véhicule de taille moyenne qui puisse lui servir au quotidien mais aussi à trimbaler du matériel pour les chantiers, pour des livraisons ou des déménagements. À l'œil pour les potes, bien sûr, se dit-il, sans se demander quels potes.

La camionnette blanche d'une banalité confondante lui ressemble, solide et passe-partout. Le propriétaire est un menuisier retraité et nouvellement veuf qui part en maison de retraite pour cause de mobilité réduite et d'incapacité à vivre seul. Sa fille et son gendre récupèrent son pavillon. Tout est pour le mieux.

Une bonne vie, pense Jean Chardin, impressionné, trois enfants à qui il transmet quelque chose, une maison où on va s'occuper de lui pour finir ses jours et les dimanches en famille. Devant cette incarnation d'un destin idéal, il paye sans discuter le prix demandé.

– Tu n'as pas négocié ? demande son père, le dimanche suivant.

– Non. Ça m'a semblé un prix correct.

– Une occase, ça se négocie.

Monsieur Chardin a l'air contrarié. Jean se dit que c'est parce que son père a fait des mauvaises affaires toute sa vie. Il s'empresse de le rassurer :

– C'est un bon prix. J'en ai vu beaucoup, tu sais.

– Ah, si tu as comparé, alors ça va, dit le père, soulagé.

– T'as les moyens de t'offrir ça ? s'inquiète sa mère.

– Miracle, j'ai braqué le Crédit agricole de Lisieux.

Elle secoue la tête en riant silencieusement parce que son fils est un sacré numéro. Françoise est la plus curieuse. Pourquoi il n'est pas venu avec ?

– Elle ne roule pas. Pour l'instant.

Les trois Chardin, consternés, ne posent pas la question fatale : « Tu as acheté une voiture qui ne roule pas ? », qui impliquerait que la famille a touché le fond de l'incompétence.

– Vous me prenez vraiment pour une bille. Bien sûr qu'elle roule mais j'ai démonté le moteur pour tout vérifier et ça prend du temps.

Le soulagement est définitif, quelques dimanches plus tard, quand il présente son chef-d'œuvre.

– Tu aurais la place de mettre un petit matelas en mousse, suggère sa sœur. Quand tu pars en vacances, tu pourras dormir dedans. Dis donc, c'est nickel, tu as passé l'aspi en notre honneur ? Ou alors, c'est maman ?

– Ah non, je n'ai pas eu le droit d'y mettre le nez. La camionnette, c'est son territoire.

– C'est parce qu'il y amène ses fiancées ! s'esclaffe François. Profites-en mon vieux, parce qu'une fois qu'elles te mettent le grappin dessus…

Françoise hausse les épaules.

162

– Plains-toi !

Jean Chardin regarde les membres de son petit univers, attendri. Son père ne dit rien. Il examine les installations, vérifie la solidité des panneaux, passe la main sur les housses de siège toutes neuves. Quand il a bien tout inspecté, son clin d'œil, pouce levé, vaut tous les compliments.

– Où en est le projet de parking pour la voiture de Françoise ? demande Jean, s'attirant un regard reconnaissant de sa sœur qui se plaint régulièrement que sa voiture soit toujours celle qui dort dehors.

« Parce que c'est pas une voiture, répète régulièrement François qui possède et bichonne une BMW break, en face de laquelle la vieille R25 de sa femme fait pâle figure. Pas ce qu'on appelle une voiture. »

Les hommes vont examiner les lieux. Monsieur Chardin suit, les mains dans les poches, regarde tout d'un air profond, arpente le terrain, réfléchit gravement et garde ses conclusions pour lui-même.

Jean propose de prolonger la dalle du garage, qui mériterait d'être refaite aussi. Mal travaillée, elle se fendille.

– Oui, mais alors, on te paye !

– Tu rigoles ! C'est la famille. Et puis, il faut profiter que là, j'ai du temps. Quand j'aurai trouvé un vrai travail…

Une fois les mots prononcés, l'injustice de sa situation le rend furieux. Si son père avait assuré, il aurait un vrai travail. Du coup, il s'en prend à son beauf :

– Au fait, t'as parlé à ton patron, depuis le temps que tu le promets ?

– Il embauche pas à cause des charges. Les chantiers,

ça va ça vient mais les gars embauchés, ça reste et ça coûte trop cher à licencier, alors il peut pas prendre le risque. Mais dès que je monte mon entreprise, je te prends avec moi.

Il n'aura jamais les couilles, pense Jean avec dédain. Ni les couilles, ni l'envergure de monter son entreprise. Un vrai loser.

Monsieur Chardin soupire. Il va parler. Les deux le regardent.

– C'est Ménard, le garage Ménard. À l'époque, il n'avait pas pu te garder en CDI, mais là, les affaires vont bien, il t'apprécie, mais bon, c'est pas sûr.

Monsieur Chardin se tait, épuisé de tant de mots.

– Le panard, Jeannot... À toi les p'tites automobilistes... Je vous bricole le radiateur, madame? Je vous fais une petite vidange, mademoiselle?

Jean aimerait trouver la réplique qui tue face à une telle vulgarité. Il lui demande, à lui, dans quelle position il tronche sa sœur?

Par précaution, il sort son sourire camouflage.

– Ce serait bien. C'est le meilleur job que j'aie eu. Du coup, pour la dalle, faut pas traîner. Dimanche en quinze et le lundi qui suit, je suis libre comme l'air.

– Ça colle pas, c'est le week-end qu'on va dans le Nord pour le baptême du petit. Et on doit rester jusqu'au mercredi.

Jean Chardin se tape la tête, il le savait mais il avait oublié, quel con. Il se tape à nouveau la tête. Quitte à être con, il commencera seul le dimanche et ils finiront ensemble à leur retour.

– Tu vas l'avoir ton parking perso, ma poulette, lance François en rentrant dans le salon où le bébé se met à brailler. C'est mon fils ! Dès qu'on parle bagnole, il se réveille !

Après une petite fille, Monica, née en 1995, pour fêter la sortie de prison de son oncle, comme a plaisanté François, les Dubrovski viennent d'avoir un garçon, Ivan. Jean se propose pour changer le bébé et le papa grimace en le voyant nettoyer les petites fesses maculées.

– Honnêtement, je sais pas comment tu fais.

– Mon frère est fait pour être père, ça se voit, clame Françoise.

Dans quinze jours, il aura trente ans, il fera beau, il s'installera chez les Dubrovski. C'est l'été, il a envie de bouger, d'inaugurer vraiment sa camionnette. Pas une seconde il n'a le sentiment de dérouler un fil qui le mènera à point nommé à l'endroit idoine. Pas une seconde il ne médite sur la façon dont il a laissé l'idée d'un chantier s'incruster dans sa tête. Non, Jean Chardin se sent naïvement mené par la vie.

Ainsi, le vendredi, il part tôt le matin. L'autoroute jusqu'à Arcachon. C'est joli par là, ça le change. Il fait la côte pour repérer les bonnes plages, tranquilles, celles où on peut accéder à vélo, sans être obligé de prendre la voiture. Pour la vue. Plaisir des yeux... De toute façon, c'est sans risque, les gamines sont toujours en bande, ou accompagnées. C'est même pas la peine d'y penser. D'ailleurs, il ne veut pas y penser.

Après une virée au Cap-Ferret, il s'achète des croissants, un gobelet de café avec couvercle, et s'installe sur la dune du Pyla. Il a tout son temps, peinard, et il laisse tressaillir la très légère excitation de l'inconnu à venir. Parce que la vie ne garantit jamais rien. Le destin décide de tout.

Il se baigne. Il y a beaucoup de monde. C'est gai. L'avantage d'être un peu plus costaud que la moyenne, c'est que les gens n'osent pas trop vous examiner. Quant à le décrire... Une fois qu'on a dit qu'il était gros, pas de détails, c'est tout ce qu'on voit, une carcasse démesurée.

À midi, il mange un hot-dog. Il s'est trouvé un coin à l'ombre parce qu'il craint le soleil. Près du parking à vélos.

Il revient du marchand de glaces quand déboule celle qu'il surnomme aussitôt « la crevette ». Elle ne prend même pas le temps d'accrocher son vélo rose. Elle se poste en hauteur, la main en visière, elle cherche quelqu'un.

Si Jean devait décrire son type de femme, il dirait grande et un peu imposante, il aime bien les femmes monumentales. Sa future épouse, il ne l'envisage que comme ça. Pourtant, sur la plage, son œil est systématiquement attiré par les gamines tout en jambes. La vie est inexplicable.

C'est comme son goût pour la mer. Il n'est pas idiot, il sait que dans l'eau son corps devient invisible et cesse de l'encombrer, ça il le sait, mais la mer vous confronte à quelque chose de plus beau, de plus grand que tout, qui fait qu'en comparaison, rien n'est vraiment grave. Enfin, c'est comme ça qu'il voit les choses.

Il cherche une poubelle pour jeter la serviette en papier. Il y en a une à côté du vélo rose. Vite, il enlève le cache, dévisse la valve du pneu arrière. Un petit coup de pouce au destin. On ne sait jamais.

L'après-midi touche à sa fin, la plage se vide, il a de la route à faire, il prend sa serviette, il se changera dans la camionnette, il déteste le sel séché sur la peau.

Tout à coup, surprise, la crevette marche dans sa direction, elle fait de grands pas, ses bras pliés aux coudes scandent sa marche énervée, elle se retourne une fois vers un garçon en bermuda rose qui, nonchalamment, se dirige vers l'eau. La crevette s'est pris un râteau. Elle dégage son vélo, monte dessus, constate l'état du pneu. Furieuse. Regarde autour d'elle. Il n'y a que lui en train de déverrouiller sa portière.

– Monsieur? Vous n'auriez pas une pompe à vélo? Je suis à plat.

Il dit oui, il se trouve qu'il a une pompe à l'arrière de sa camionnette. Il ouvre le double battant, entend une famille approcher. Le destin.

Il regonfle le pneu. Pas crevé, dégonflé, ça ira. Il fait la conversation naturellement. Elle va loin? Ça va, à cette heure-ci, il y a de l'ombre, elle n'aura pas trop chaud.

Il démarre. L'excitation le brûle, il accélère pour prendre de l'avance. À vue de nez, ça devrait aller. Il a emprunté le chemin par lequel elle est arrivée. Au carrefour au bout d'une ligne droite, il arrête le moteur, barre la route, laisse un étroit passage. Il la voit arriver de loin, elle pédale sans les mains, les bras en l'air, exulte d'énergie et de jeunesse. Si elle le reconnaît et prend peur, il la poursuivra. Il tourne la clé de contact, il va l'emboutir. Elle sera déboussolée. Ce sera plus simple.

Après, c'est encore mieux qu'en Espagne. Parce que la crevette a besoin d'être matée. Et elle tient pile dans le sac à gravats. La camionnette est parfaite, presque parfaite. Il va l'aménager encore mieux. Pour le transport, en tout cas, impeccable.

Chez les François, personne. Chez les voisins, ça dort. Il n'aura même pas besoin de creuser de nuit. Il empile les sacs vides à côté du sac plein. Il dort sur le clic-clac du salon, la force de l'habitude. À l'ouverture, il va chercher des gravats à la décharge et, quand le camion toupie arrive, tout est prêt.

Cette année-là, les deux événements majeurs de la vie de Jean Chardin se déroulent en septembre. Ménard lui propose effectivement un CDI et, la confiance en l'avenir retrouvée, toute la nuit du 11 septembre, il regarde en boucle sur son écran plat les mêmes images, inlassablement, de tours remplies comme des fourmilières explosées par des avions qui semblent minuscules à distance, un Terminator en vrai, sans effets spéciaux.

Et les gens qui sautent. La vie ne tient pas à grand-chose.

22

Sur le trottoir, le soleil lui gicle à la figure. La grande femme décharnée se cache les yeux derrière la main et traverse hors des clous, propulsée par un beuglement de bête sauvage. Elle marmonne des insultes au chauffeur du bus appuyé sur son klaxon, espèce de buse, connard. Un accident. Ce serait bien. Ni vu ni connu. Comme sa vie. Pfft, expulsée de la terre, pas de traces. Jeanne était sa trace. Kaput Jeanne. Morte, elle le sait dans son ventre. Sa petite fille dans son ventre. Une césarienne, docteur, je ne peux pas attendre, trop à faire. Ce corps déformé. Insupportable. Ce poids. Trop cool la césarienne, anesthésie, ni vu ni connu.

Le troisième étage avec balcon. Trois séances par semaine. Il faut réapprendre à vous aimer. C'te blague. Réapprendre mon cul, elle n'a jamais commencé.

Toute sa vie des docteurs. Le nez plus court, les joues plus hautes, la culotte de cheval, mais si docteur, ce n'est pas une question de poids, là, regardez, le haut des cuisses. Lydia, je veux un blond pâle. On mettra des crèmes. Y a qu'à couper les bouts.

Y a qu'à. Baliser, toujours baliser. L'argent. Pour baliser tous les coups tordus de la vie. Beaucoup d'argent. L'argent forteresse. Avec de l'argent, on est invincible. Et immortel. Jeanne est morte. Remplir le temps jusqu'à l'extinction. Ne pas vieillir, ne pas mourir. Le docteur Gérard, une sommité, oui, c'est mon mari. Il me fera un cœur tout neuf quand l'autre sera usé. Me greffera le cœur que je n'ai pas. Un enfant, pas deux, pas le cœur assez grand. Petit riquiqui le cœur.

Jeanne, Jeanne Adrienne Gérard. Prénoms chics à l'ancienne. Les boîtes à l'ancienne au couvercle transparent. La poupée tenue par des fils invisibles. Tu ne joues pas avec ta poupée ? Non, la garder dans sa boîte, parfaite.

Pas de corps, pas de cercueil. Elle lui aurait acheté un cercueil blanc matelassé. Impossible de garder Jeanne dans sa belle boîte. Où est-ce que ça a déraillé ? Un petit ange blond qui répond : Si je veux ! C'est l'heure d'aller se coucher. Pas sommeil. École demain. M'en fous.

À plat ventre devant la télé, écran plat dans sa chambre.

Va dire à ta fille d'éteindre la télévision. Qu'il se coltine le problème aussi.

Voilà, je lui ai supprimé la télécommande.

Elle dort ?

Elle va dormir.

Vérifier sur la pointe des pieds. Si elle m'insulte, je fais quoi ?

Sixième étage, la fenêtre grande ouverte, le lit vide, même pas défait.

Panique, courir à la fenêtre. Ouf, pas de petit corps écrasé au sol. Déjà ça. On ne t'interdira plus rien, reviens. Jeanne planquée sous le lit. La panique, pas eu l'idée de regarder sous le lit.

Perverse à huit ans. Allô docteur. Pourquoi tu veux plus y aller ? Il m'prend sur ses genoux, il me tripote. Avec ses grands yeux limpides. C'est vrai ?

Haussement d'épaules. J'irai plus, c'est tout.

Comme une manette de pression, elle n'arrête pas d'ouvrir, le tensiomètre de plus en plus haut. À un moment, tu baisses les bras, tu as ta vie à vivre. Ma vie. Quelle vie ? Même pas…

Talons trop hauts, lunettes trop noires, un imperméable fuchsia, sa couleur préférée. Le psy approuve. C'est bien. Ça vous va bien.

Plus rien ne va, ne me va ni ne va.

Dring, qu'est-ce qu'ils ont tous à la klaxonner ? Elle est sur la piste cyclable ? Elle est surtout épuisée, s'affale sur un banc.

2001-2008, comme sur une pierre tombale, six ans déjà morte. Il faudrait rentrer. Pour quoi faire ? La maison trop grande, trop vide, trop silencieuse. L'autre s'est tiré, bien sûr. Donner du sens à sa vie. Parti faire le toubib en Afrique. Elle reçoit ses mails, les lit et a envie de gerber.

Plus facile de sauver le monde que les siens. Jamais là, jamais au front. Noël. Amoncellement de paquets au pied de l'arbre, Jeanne en larmes, apeurée, minuscule sous le sapin colossal. Son petit visage tout crispé, l'avalanche des paquets va lui dégringoler dessus, l'engloutir. On va t'aider, regarde comme c'est beau. Si vous me mettez en pension, je me tue. Un souhait chuchoté en douce dans le noir de sa tête de maman dépassée, si elle mourait... Non, bien sûr non. Notre fille qu'on aime mais qui fait tout à l'envers et n'a même pas l'air heureuse.

Il lui parle au téléphone : « Quand on voit le courage de ces gens qui ont à peine de quoi manger, dont les enfants meurent de dysenterie et qui entament chaque nouvelle journée avec l'espoir, on peut avancer, on peut continuer à avancer. »

Il n'avance pas, il fuit, nuance.

Oui, oui, sûr que la dysenterie, les épidémies, la faim, la misère, ça donne envie.

Chez le psy, elle passe son temps à dormir. Elle fuit, il pense. Oui, elle fuit de partout. Comme du sang à flot lent et continu, elle se vide de sa vie.

Ce premier jour sans Jeanne. Qu'elle fugue, la petite peste ! Quand elle reviendra la queue basse, on verra bien qui a besoin de qui. On va pas en faire une histoire, faut plus qu'elle ait le rôle principal.

La police, les questions, les reproches tacites. La mère coupable. Je vous emmerde. En cas d'enlèvement, les premières heures sont capitales.

Jeanne enlevée ? Jeanne violée ? Jeanne tuée ?

Les jours qui passent et rien. Pas de traces, pas de piste.

Et un soulagement horrible, pire que tout. Voilà, c'est fini. Plus de mépris. Plus de peur au ventre. Et tout de suite après et tout le temps, l'attente parce que Jeanne va revenir et que tout sera différent. Elle a sorti sa boîte de pastels, un arc-en-ciel d'espoir, la vie ripolinée telle qu'elle aurait pu être, telle qu'elle sera, idéale, aimante, simple et heureuse.

On ne laissera jamais tomber, ont promis les flics. Ouais, je te crois.

Là, ça fait trop longtemps. Jeanne est morte, elle préférerait ne pas le savoir.

C'est un quartier bigarré à peaux noires, beaucoup de mouvement, du bruit, de la vie. Ça lui fait aussi mal que le soleil. Elle ne sait plus où elle est, elle a le tournis. Elle demande son chemin à un groupe de jeunes gens qui pérorent, leurs voix trop fortes. L'un se penche vers elle, chuchote à l'oreille :

— Tu veux faire l'amour ?

Elle a dû mal entendre. Elle enlève ses lunettes, clignote. Il fait chaud, tous ces regards, toutes ces peaux noires, en Afrique avec son mari ? Elle ne reconnaît rien. Elle est où ?

L'un des jeunes lui prend le coude.

— Vous voulez vous asseoir ? Ça va ?

Oui, oui, elle chasse de la main la gentillesse, la proposition. Elle part comme ça, agitant la main devant elle pour chasser brumes et démons qui l'empêchent d'avancer. Elle retrouve le boulevard. Dans les clous. Le feu passe au vert, la masse énorme du bus approche, elle se laisse tomber, elle bascule. Le dernier son qu'elle entend est le crissement irritant des pneus que le frein retient et les cris qui anticipent le choc. Sa tête s'est tue. Enfin.

23

Procès de Jean Chardin

– Sa libido est associée à des pulsions perverses que Jean Chardin a pu refouler avec succès tant qu'il vivait avec ses parents. Son indépendance a fait exploser le refoulé, ses inhibitions ont été levées, comme une barrière qui permet le passage, en l'occurrence le passage à l'acte. Oui, c'est indéniablement une famille fusionnelle où la proximité constante rend l'utilisation des mots inutile. On ne parle pas avec ses membres, on ne parle pas à son bras ou à sa jambe, on parle avec l'autre. Ici, il n'y a pas d'altérité possible. D'où un sentiment de sécurité profond car, par comparaison, le monde extérieur est trop différent pour ne pas être inquiétant. Vous avez sans doute appris que Jean Chardin a dormi dans la chambre conjugale pendant des années, des années où il était devenu adulte et pourtant encore lié à ses parents dans un trio incestueux. Symboliquement incestueux.

L'avocat de l'accusé sentant l'agitation de son client lui lance un regard de mise en garde.

L'expert psychiatre parle en duplex depuis son hôpital bordelais. Il est cadré à la taille sur les deux écrans plats où ses mouvements sont très légèrement syncopés. Entre son vocabulaire de spécialiste, désincarné et neutre, et son absence physique dans la salle du tribunal, il fait l'effet d'un robot humanoïde. Ne voyant pas les jurés, il ne sait pas qu'il en a perdu quelques-uns en route, ceux pour qui tout ça n'est que de la masturbation intellectuelle.

La présidente, elle, semble satisfaite. Elle demande à l'accusé de se lever. Jean Chardin a réclamé une deuxième expertise. Il n'était pas satisfait de celle que le tribunal vient d'entendre. Elle voudrait qu'il s'en explique.

— Mais... comment... cet expert a tout centré sur mes parents, sur ma famille, et je ne suis pas d'accord avec ça. Mes parents ont été de bons parents. Et sans nos difficultés financières, nous n'aurions pas été dans cette situation. Ce n'était agréable pour personne. Ce qui est arrivé est de ma faute à moi parce qu'ils ont toujours été là quand j'ai eu besoin d'eux.

— Aujourd'hui, vous avez encore besoin d'eux ?

— On a toujours besoin de ses parents.

— Mais vous ne pouvez plus compter sur votre père. Il n'a pas l'air de vouloir changer d'avis.

L'accusé larmoie à nouveau et murmure que c'est compréhensible. Ce n'est pas bien, ce qu'il a fait n'est pas bien.

La présidente revient sur cette histoire de pulsions perverses, mais l'accusé ne se sent pas pervers, c'est juste que ça le prend tout à coup et c'est irrésistible. Mais c'est sûr que s'il pouvait avoir une vie normale...

— Normale, comme vos parents ?

— Oui, ou comme ma sœur.

— Eh bien, je vous repose la question : qu'avez-vous fait pour essayer de vous construire une vie « normale » ?

L'accusé baisse la tête, penaud. Il y a du monde dans la salle, tous les regards convergent sur Jean Chardin qui, pourtant, semble n'en avoir aucune conscience. Un troupeau d'anges passe.

Agnès Damboise pose à l'expert la question de la récidive.

Difficile d'établir un risque statistique exact, bien sûr. Après sa première condamnation, l'accusé n'est plus passé à l'acte…

— Jusqu'au jour où il y est passé. Qu'est-ce qui pourrait assurer qu'il résiste toujours à ses pulsions ?

— « Toujours » est un mot trop absolu.

— Il y a donc un risque de récidive.

L'avocat de Jean Chardin saisit la balle au bond, rappelle que son client suit un protocole de soins avec un psychologue et demande à l'expert si, avec un suivi régulier, un solide accompagnement professionnel, le risque de récidive n'est pas infiniment réduit, voire inexistant.

— Bien sûr. Cela passe par la prise de conscience de monsieur Chardin qu'il a un problème qu'il ne peut pas gérer tout seul.

— Monsieur Chardin ? Qu'est-ce que vous en pensez ? reprend la présidente.

— Je suis d'accord.

— Mais encore ?

— C'est sûr que cela m'aide beaucoup et je vais continuer parce que je sais que je ne peux pas continuer comme ça.

– Comme ça, vous voulez dire quoi?

– Avec mes, comment, pulsions.

– Vous êtes conscient qu'il est des lieux et des situations que vous devez impérativement éviter? Tous les endroits publics où des jeunes filles sont susceptibles de se dénuder....

– Oui, oui. C'est... clair.

– Et pourtant, vous avez commis cette agression contre mademoiselle Delcourt exactement dans ce contexte-là?

– Je ne pensais pas qu'il y avait encore un... comment, un risque. C'était l'été et je voulais retrouver un endroit où on pique-niquait avec ma famille quand on était petits. Il faisait chaud, j'avais envie de me baigner.

– Vous comprenez que c'est exactement le genre d'excuse que vous risquez de constamment rechercher pour... trouver votre plaisir.

– Oui, madame la présidente. Je comprends ça maintenant.

Le deuxième expert commandité par la défense est appelé à la barre. Son vocabulaire est différent, il est plus simple, plus concret dans ses appréciations, mais sur le fond, il présente un véritable copier-coller de la première expertise. L'accusé, pourtant, en semble plus satisfait.

Quand Jean Chardin est à nouveau sur la sellette, Isabelle glisse une question à l'oreille de son avocate, qui s'exécute. Depuis qu'il travaille chez monsieur Ménard, de combien de vacances dispose l'accusé?

Trois semaines. Plus deux.

Qu'il prend l'été?

Oui. Ou à Pâques.

Il lui arrive de partir?

Oui.

Où par exemple ?

La question semble le dérouter. Parfois sur la Côte, c'est arrivé, près de Nice, et aussi sur la Côte d'Émeraude.

Toujours au bord de la mer ?

Il aime la mer, oui.

Son avocat continue sur le même thème. Comment se loge-t-il en vacances ?

Ça dépend, en camping ou dans la nature.

– Vous voulez bien préciser ? Vous dormez où ?

– Dans ma camionnette.

– C'est pour ça que vous l'avez aménagée avec un matelas ?

– Comment, oui.

Un juré fait passer une question à la présidente.

L'accusé répond que non, il n'est jamais allé à l'étranger, il n'a jamais quitté la France.

Isabelle lève la tête et le regarde, son œil a la fixité d'une réflexion rapide, intense. Puis elle chuchote à nouveau à l'oreille de son avocate, qui opine, cherche dans son dossier une feuille où elle vérifie un élément avant de prendre la parole :

– N'êtes-vous pas parti en Espagne avec un collègue à vous, l'été 1998 ? Vous nous en avez même parlé le premier jour, ici même.

– Ah si, comment, je n'étais pas en vacances.

– Expliquez-nous ça.

– Je vous l'ai dit, c'est mon ami Rafael qui se construisait une maison chez lui, près de San Sebastián, et comme il savait que j'étais bon en maçonnerie, il m'a offert le séjour en échange d'un coup de main.

Isabelle glisse à nouveau un papier vers son avocate.

– Vous y êtes allé avec votre camionnette ?

– Non, je l'ai achetée au retour.

Il se mord la lèvre, comme pris en faute, fixe le rideau de cheveux de sa victime.

– C'est la seule fois où vous êtes allé à l'étranger ?

– Oui. Je n'y avais pas pensé parce que ce n'était pas vraiment des vacances parce que j'ai tout le temps travaillé pendant le séjour et je croyais que la question, c'était sur les vacances.

Son ton est d'excuse, voire carrément de repentir. Tête baissée, veut bien faire, désolé.

L'expert reparti, le témoin suivant est appelé et l'accusé, cette fois, fond carrément en larmes à l'entrée de la femme parfaitement banale, à laquelle la présidente présente ses excuses pour la longue attente.

Elle est sans âge, même si, en déclinant son identité, elle révèle qu'elle a cinquante-deux ans, infirmière. Ses cheveux teints en roux ont des racines grises et frisottent dans la nuque, elle porte une robe informe à fleurs marron et ocre et d'étonnantes chaussures Nike à semelle épaisse. C'est une collègue de la sœur de l'accusé. C'est comme ça qu'elle l'a connu. Malheureusement, peu de temps après, elle a quitté la région pour se rapprocher de sa fille qui vit en banlieue parisienne et venait d'avoir son premier enfant.

Elle dit « malheureusement », parce qu'ils s'entendaient bien avec Jean. Malgré la distance, ils ont continué de correspondre par mails. Il ne lui avait rien caché de ses problèmes judiciaires, c'est ce qu'elle appréciait avec lui, sa franchise. Mais il semblait perdu dans la vie, comme quelqu'un qui n'aurait pas le mode d'emploi. Et elle trouvait ça dommage parce qu'il est intelligent et sensible.

– Et sur les faits qui lui sont reprochés ?

Elle a été choquée, bien sûr, et étonnée.

De temps en temps, le témoin jette des regards d'encouragement à l'accusé qui la regarde, les yeux noyés de larmes.

Pour la première affaire, en 1991, les attouchements, oui, il lui avait expliqué, elle avait elle-même observé qu'il était d'une timidité maladive. Très complexé par son physique. Du coup, il ne savait pas aborder une jeune fille et, maladroitement, il avait tendance à… pas se jeter sur elles, bien sûr, mais à… c'est difficile à expliquer, elle trouvait ça plus clair quand c'était lui qui le disait. C'était comme de voir un super-gâteau dans une vitrine et de ne pas oser l'acheter… Alors…

– Alors on le vole ?

– En quelque sorte, oui.

L'avocat général, sans attendre d'avoir la parole, s'exclame d'un ton indigné :

– On le chipe, on le chope et on le gobe !

Tout le tribunal reste interloqué. Le témoin fait non de la tête. La présidente lui demande de poursuivre.

L'infirmière a cru comprendre que pour cette affaire, ici, ce n'était pas pareil, pour lui, c'était plus compliqué. D'ailleurs, après son arrestation, Jean Chardin n'a plus répondu à ses courriers, alors, elle a fait le déplacement et au parloir, il lui a expliqué que là, il ne pouvait pas expliquer. C'est pour ça qu'il ne pouvait plus lui écrire. Il avait trop honte. Après avoir redit que c'est quelqu'un qui vaut mieux qu'il ne pense, sensible, gentil, très serviable, qui ne se rend pas compte qu'il peut être apprécié, elle reste à court de révélations.

L'avocat général semble ulcéré par ce témoignage.

Généralement, il observe les débats avec la mine de celui qui cache d'amples réserves dans ses manches qu'il se contente de régulièrement remonter sur ses bras. Là, il demande la parole car il a une question :

– Vous a-t-il jamais parlé de ses victimes ?

– Victimes ?

– Oui, les jeunes filles qu'il a agressées, avant mademoiselle Delcourt. Je profite de l'occasion pour rappeler à la cour que lesdites jeunes filles étaient des enfants. Vous en a-t-il parlé et si oui, en quels termes ?

– Non, pas vraiment. Il était surtout désolé.

– Désolé de quoi ? De s'être fait prendre ou d'avoir fait du mal, peut-être de façon irréversible, à des personnes particulièrement vulnérables ?

La présidente intervient sur un ton de mise en garde respectueux :

– L'heure n'est pas à la plaidoirie, monsieur l'avocat général.

– Je crois qu'il aurait voulu comprendre, proteste le témoin.

– Et vous, en tant que femme et mère, vous en pensiez quoi ?

– Ben, j'étais désolée, bien sûr, mais j'aurais surtout voulu l'aider.

L'avocat de la défense, son tour venu, l'interroge sur son lien avec l'accusé. Y a-t-il eu l'amorce d'une liaison entre eux ?

Le témoin esquisse une moue de coquette qui dépare son visage banal et annonce que, si elle était restée, qui peut savoir ? Concluant d'un rire de gorge contenu, qui provoque chez Jean Chardin une grimace de stupéfaction comique vite effacée qu'Isabelle est seule à capter.

24

JEAN CHARDIN ne laisse personne toucher à sa précieuse camionnette, devenue le cœur de sa vie. Les voyages, finalement, ça ne s'est plus présenté. L'étranger, merci, il a donné. Pour la pêche, dans la mesure où il y viendra bien un jour, il est équipé. L'attirail à portée de main, cannes, seau, appâts et même des cuissardes. On ne sait jamais. Il aime tellement les bords de mer. Mais pour l'instant, la canne est restée accrochée, rutilante, neuve, inutile.

À force de donner des coups de main à droite à gauche, il a aménagé un atelier de plus en plus professionnel, accessible facilement, sur les deux parois. Outils divers, bêches, pioches, marteau, perceuse. Le tout entretenu, huilé, impeccable. Accessible sans complications. La pompe à vélo est une pensée de dernière minute. La plupart des cyclistes n'en ont pas quand ils se retrouvent à plat au milieu de nulle part. Ménard lui conseille de déposer le modèle qu'il trouve très astucieux.

La copine de Françoise, l'infirmière, ne le lâche pas, à croire qu'elle ne s'est jamais regardée dans une glace. Heureusement, elle habite loin et n'a pas les moyens de revenir en Normandie. Elle lui fait des propositions : s'il vient, elle peut le loger. Ha, et plus si affinités, il voit ça d'ici. Avec sa magnifique camionnette, la route se fera sans qu'il s'en rende compte, dit-elle. La camionnette n'est pas pour l'infirmière, elle devrait s'en douter. Quand même, il est content d'avoir des courriers dans sa boîte mail et puis, elle l'apprécie, ce qui n'est pas rien. Il va lui écrire. Il ne manque pas de bonne volonté et il y pense régulièrement et sincèrement. Au final, il oublie d'écrire.

Il a trouvé une chaîne américaine sur laquelle il suit le procès de Michael Jackson. Il adorerait savoir faire la moon walk, il adore Michael Jackson. Le type est un génie. Il a choisi de se métamorphoser. Si Jean en avait les moyens, il ferait pareil. Michael a choisi d'être blanc, ça devrait faire réfléchir les racistes. Et il aime les enfants. Trop ? On peut trop aimer les enfants ? Il aide des gamins pauvres, il les fait habiter dans un monde de rêve. Le pauvre Michael a l'air largué pendant tout le procès. On le serait à moins, pense Jean qui, pour apaiser son angoisse empathique, se goinfre de pizzas, chips et bières.

Acquitté ! Michael Jackson est acquitté ! Jean Chardin a levé les bras au ciel et hurlé son soulagement de voir son idole innocentée. La justice des hommes peut être humaine.

Un dimanche de juillet, Françoise demande à son frère s'il n'a pas grossi. Il rentre le ventre automatiquement.

-- Ah bon, tu trouves ?

Le fait est qu'il ne trouve jamais le temps de faire la cuisine, il achète des plats surgelés pour quatre parce que pour un, c'est la famine annoncée, il manque de sommeil parce que tous les soirs il a rendez-vous avec *Karla X, l'écolière perverse,* ou bien avec *Ébats au pensionnat,* et du coup, il fait des exercices qui ne sont pas forcément bons pour la santé. Et si sa libido était au-dessus de la moyenne ? Comment comparer avec d'autres ?

Sa mère lui trouve mauvaise mine, il mange correctement au moins ?

– Toujours assez, non ? rigole le beauf en lui tapant sur le ventre. T'es plus rond que ta sœur et pourtant elle, elle est enceinte.

Et de trois ! C'est génial. Félicitations.

Ils doivent baiser tout le temps, se dit Jean Chardin. Ça doit quand même être mieux à deux. Tout haut, il dit :

– Tiens, le week-end prochain, je vais aller à la mer.

Il le découvre en le disant. Voilà, c'est une bonne idée. Il se contentera de regarder, il se régalera des petites mignonnes à moitié à poil en train de sauter partout sur la plage. Granville, l'aller et retour dans la journée, c'est jouable. Il aime bien conduire.

– T'as oublié que tu devais daller le patio ?

– Au contraire. J'irai vendredi et je reviendrai le samedi. Vous êtes toujours de sortie samedi ? Je viendrai creuser le soir et on pourra faire ça dimanche.

– Ça te fera du bien de nager, dit Françoise. Faut faire gaffe à ta ligne un peu si tu veux trouver une fiancée.

C'est ce qu'on verra, pense Jean. Le poids est parfois un avantage. Ça dépend de la situation. Il se sent bien d'un coup, apaisé. Il suffisait de décider, rien n'a changé. Il ira voir, simplement voir. Ce n'est pas interdit par la loi, qu'il sache. En plus, maintenant que sa camionnette est finie, avec le fin matelas à l'arrière, il pourra dormir dedans s'il décide de prolonger.

Ça, il est assez content de l'idée du matelas. Le détail qui tue.

Sa mère lui annonce :

– Je vais te préparer des tupperware pour ton retour. Je suis sûre que tu manges mal, hein ? Les plats de ta maman te manquent, hein, mon gros bébé ?

Il y avait longtemps qu'elle ne l'avait pas appelé comme ça. C'est ce qui lui a donné l'idée, peut-être.

Le fin du fin, « laissez venir à moi les petites filles ». Au lieu de se cacher, s'exhiber. Ça tombe bien, il s'égratigne à un chardon en remontant vers sa voiture. Il s'accroupit, bien en vue, appuie sur la peau pour que le sang coule le long du mollet. La tête entre les mains, il peut voir à travers ses doigts. Si elle ne s'arrête pas, il l'arrêtera. Sans souci.

Il a envie de rire, comme s'il préparait une blague. C'est un jeu quand même. Il joue au bon gros. Elle ralentit dans le virage. Ça y est, elle le voit. Il pousse des gémissements à fendre le cœur. Elle ralentit sans le quitter des yeux et s'arrête. Bingo ! En dépit de son impatience, il attend. C'est difficile, il sent son odeur de mer et de transpiration, sa fraîcheur, et il résiste. Il en rajoute dans les petits bruits de douleur, c'est la première fois que les préliminaires sont gais. Il vérifie d'un coup d'œil et surprend le vacillement de son regard. Elle va faire marche arrière, elle renifle quelque chose, la méfiance est là. Trop tard, petite, trop près. Il n'a qu'à tendre un bras pour l'attraper. Il est bien obligé de l'assommer puisqu'elle n'est pas fichue d'obéir à un ordre simple. Il la garde attachée à l'arrière de la camionnette. Une fois qu'elle est réveillée, il lui rend des petites visites préparatoires en attendant qu'il fasse nuit.

Le pavillon est vide, les petits sont chez les grands-parents Chardin et il leur souhaite bien du plaisir. Sauf qu'eux, ils sont dans un lit à barreaux. Et ensemble. Ce qui change tout.

L'avantage de la cave, c'est que ça fait encore plus peur. Il éteint le plafonnier et allume une torche électrique, comme dans un film d'horreur. Elle arrête pas de demander s'il va la tuer. En chuchotant parce qu'elle a appris la leçon. Elle verra bien. Il faut qu'elle obéisse d'abord. Elle obéit. Elle fait sincèrement de son mieux et rien ne peut atténuer la lumière de la terreur qui lui donne un teint pâle et translucide malgré le hâle. Il ne lui a pas menti. Il ne lui a rien promis.

En finir, c'est le prix du plaisir mais pas une partie de plaisir. Comme dirait sa sœur, ce qui est fait n'est plus à faire. Cette fois, il a mal calculé son coup. Il entend les portières qui claquent. Il ferme les yeux, rentre les épaules. Il a envie de se fourrer dans un sac à gravats avec la petite, d'attendre que ça passe. Mais ça ne passera pas. D'ailleurs, ça ne peut pas se passer. Il vérifie qu'il est reboutonné, monte en clignant des yeux, explique qu'il a apporté du matériel. Il ne s'est pas rendu compte de l'heure. Il est désolé. Pas François qui avait envie de s'en jeter un dernier avant de se pieuter et propose à Jean de dormir sur place, ce sera plus simple. Il en a entendu une bonne ce soir, faut qu'il lui raconte.

Françoise n'a pas envie de la réentendre, elle n'est pas sûre qu'elle plaira à son frère. Elle rappelle à son mari qu'elle commence tôt. Faut qu'il pense à aller prendre les enfants chez ses parents avant huit heures.

Sauvé ! se dit Jean.

186

Son beau-frère sort le calva. Jean boit aussi. Il camoufle ses mains qui n'arrêtent pas de trembler.

C'est l'histoire d'un mec, commence François, un vieux qui roule sur une route de campagne au volant d'une super Mercedes. Il voit une petite fille au bord de la route qui sanglote, sa robe déchirée, son visage noir de suie, les jambes en sang. À côté, il y a une voiture accidentée avec des cadavres et le vieux l'interroge :

— Tu étais dans l'accident, ma pauvre petite ? C'est ta famille ? Ton papa ? Ta maman ? Ton petit frère ?

À chaque question, la petite fille hoche la tête en pleurant plus fort. Alors le vieux s'approche d'elle en ouvrant sa braguette et il dit :

— Pauvre petite, décidément, c'est pas ton jour !

François rit seul comme il s'en rend rapidement compte. Jean, tétanisé, est incapable de réagir. François reste bouche ouverte et, confus, balbutie que c'était pas une allusion, juste une blague.

Jean sent la bile monter, pas une bonne idée le calva. Il disparaît dans les toilettes et vomit, vomit jusqu'à cracher du sang.

Il passe dans la cuisine, reste un moment la tête sous l'eau. Elle est vide sa tête, il se sent hagard.

Il revient vers son beau-frère consterné qui s'excuse, vraiment.

Jean se contente de dire :

— Elle n'est pas drôle, ton histoire.

Comme dira Dubrovski à sa femme :

— Il est trop sensible, ton frère.

Au matin défait, quand Jean Chardin enterre le sac à gravats sous le futur patio, il se dit que plus jamais. La vie, cette fois, lui a envoyé un signal clair.

25

MAMIE est dans le jardin. Yann est arrivé depuis trois jours pour sa période d'essai en Normandie. C'est grasse matinée tous les jours pour les amoureux. Isabelle laisse sonner le téléphone un bon moment mais, apparemment il n'y a qu'elle pour répondre. Pas de chance. Et c'est son père. Décidément, pas de chance.

– Oui, ça se passe bien… Beau… Tout le monde va bien, oui… Papa, ça fait combien de temps que tu n'as pas regardé mes bulletins? J'ai des bons résultats, si c'est ça ta question… Et toi? Vous allez où finalement?… Ça doit être chouette la Grèce. Bonnes vacances! Tu veux parler à maman?

Jean-Loup dit non, Isabelle raccroche. Il peut garder ses bisous pour son bébé dont il est dingue, le petit Gaspard, et la ravissante petite Lili, trois ans. Et encore, Isabelle a droit à un appel par mois. Lucas, s'il ne prend pas l'initiative, c'est rien du tout. On est trop grands pour son âge, se dit Isabelle. Une mauvaise publicité.

La dernière fois, c'était pour les vacances de Pâques, elle devait partir avec eux, sa belle-mère, une sophrologue qui passe son temps à vouloir initier sa belle-fille au yoga, merci mais non, et les deux demi-portions. Son père l'a appelée, navré, car il venait de réaliser qu'avec les deux sièges bébé à l'arrière, il n'y avait pas de place pour Isabelle. Un peu compliqué. À la place, ils organiseraient quelque chose cet été.

Eh bien, on y est, c'est l'été et le quelque chose, c'est la Grèce, sans elle.

La porte des toilettes s'ouvre, se referme. Il y a un seul chiotte chez mamie, au rez-de-chaussée. Sa mère longe le petit couloir, bute dans son amoureux qui l'enlace et lui roule un patin. Isabelle balance l'information que c'était papa au téléphone mais Claire ne réagit même pas. Isabelle décide d'aller skyper avec Cécilia.

– J'ai l'impression d'être ghettoïsée, se plaint-elle.

– Pense à moi, enfermée dans un appartement sinistre à Madrid avec ma grand-mère qui ne sait pas quoi faire de moi, ni moi d'elle.

– T'as changé de coiffure?

– Ouais, tu trouves comment?

Sur l'écran d'ordinateur, Cécilia tourne la tête, dos, profil. Elle porte un chignon sophistiqué retenu par une centaine d'épingles visibles malgré le grain de l'écran et quelques mèches en frange sur le front.

– Ça te vieillit.

– C'est l'idée.

– Pas mal.

– Et toi, tu vas les couper?

– Chais pas. Déjà que je fais pas très fille. À propos, tu as eu des nouvelles de Florian, toi?

– Ouais, vaguement…

Oh là là, ça sent mauvais, le flou de la phrase, le regard flottant.

– Quoi ?

– Oh et puis après tout, je préfère te le dire. Il paraît qu'il sort avec Blandine.

– Blandine !!!!

– Oui, je suis bien d'accord. C'est pour ça. Avec un goût de chiottes pareil, y a rien à regretter.

Le moral déjà bas d'Isabelle tombe au troisième sous-sol. Il tombe d'autant plus bas qu'elle est, en réalité, soulagée. C'est la seule chose qu'elle n'arrive pas à confier à Cécilia. Elle peut envisager l'amour, un garçon qui lui caresserait la tête doucement et lui tiendrait la main en marchant. Mais pas plus. Est-ce qu'il existe un garçon qui se contenterait de ça ? Florian a une douceur, quelque chose de féminin qui la rassurait, et son attention la flattait. De toute façon, avant qu'elle plaise à quelqu'un…

– Cécilia, tu pourrais pas arriver plus tôt ? C'est pas que je me fasse chier, juste que je m'emmerde à donf.

– Je demande que ça, ma petite poule. Mais arrête de faire cette tête. Un, avec Florian, je te rappelle qu'il s'est rien passé. Là, c'est l'été, t'as la plage, dès que je serai là, on ira au truc là, la boîte, le Taxi Brousse, si ça existe toujours. On va te les emballer les mecs, je te raconte pas. Et toi, te la raconte pas. La Grèce, t'avais pas envie d'y aller. Les seules vacances que tu as passées avec ton père et sa Tibétaine, tu t'es fait chier pire que moi ici. Et ta mère a un amoureux, donc elle te fiche une paix royale. Crois-moi, Isa, tu ne mérites pas ta chance, ça dégoûte grave. Sans compter que je déteste hablar espagnol. Tu connais pas ton bonheur de parler la même langue que tout le monde. L'espa-gouin, c'est une langue de ploucs, on dirait du mau-vais français parlé par des débiles avec un accent qui craint... L'anglais, c'est cool. Tu veux pas qu'on aille à New York? ou en Australie?

Et là, c'est parti pour une heure de plans sur la planète. Avec Cécilia, l'avenir semble ouvert si large-ment qu'Isabelle en a le tournis. Ensuite, elles font le point sur leurs bronzages respectifs. Cécilia a accès à un balcon où elle s'exhibe en bikini dès que sa grand-mère a le dos tourné...

– Elle a fait une fille, ma mère, plus dévergondée tu meurs, ce qui prouve que son système d'éducation est pourri, et elle veut recommencer avec moi. Faudra pas vieillir, hein, Isa? On devient trop con.

Quand d'un côté la grand-mère en espagnol, de l'autre Claire en français expliquent que ça va bien comme ça l'ordinateur et Skype, les deux amies se quittent sur un florilège de grimaces inventives, Isa-belle laisse la place à Yann qui en a besoin pour le boulot et s'excuse quinze fois qu'il n'en a pas pour longtemps et qu'elle pourra reprendre l'écran tout de suite après... Il est gentil mais il est lourd.

– Non, mais ça va, Yann, y a pas de souci.

Elle monte s'enfermer dans la salle de bains et se regarde dans la glace. Elle passe son temps à hésiter entre cheveux courts ou longs. Courts, c'est pratique et ça lui va bien. Elle relève sa masse blonde, pour voir. Mais longs, elle peut faire plein de coiffures. Sauf qu'elle ne sait pas faire. Elle tire sur son visage, mains à plat sur les côtés, jusqu'à se faire une tête vraiment bizarre.

C'est un jour de mocheté, pense-t-elle, petits yeux, alors que parfois, ils sont grands comme des lacs, ce qui fait bien. Le nez rouge, ça, c'est parce qu'elle refuse de mettre de la crème solaire, trop chiant, ses sourcils sont trop pointus et elle trop maigre. Elle se hisse sur les pointes, se regarde en pied, relève ses cheveux, se met de trois quarts, fait un cul de poule avec sa bouche.

Pffftt. Elle relâche tout, secoue la tête.

– À table !

En face d'elle, Yann, son visage gribouillé, ses dents écartées d'enfant et les mille attentions qu'il a pour elle, pue l'envie de s'installer définitivement. À sa droite, sa grand-mère gâteau qui l'adore et a un peu beaucoup tendance à trop l'embrasser, Isabelle n'aime pas les contacts physiques à tout-va, mais elle n'a que des bons souvenirs avec sa mamie. Et à côté de Yann, sa mère dont elle possède les yeux gris-vert qui foncent ou s'éclaircissent selon l'humeur, sa mère comme elle la préfère, l'été, au naturel, un bandeau pour retenir ses cheveux en arrière, ses robes à fleurs, ses espadrilles, elle est jolie et menue, particulièrement jolie faut reconnaître, éclairée par le regard de Yann. Attendrissante de ne pas s'habituer au bonheur.

– Lucas arrive dimanche.

Ça, c'est la bonne nouvelle. Avec Cécilia qui, telle qu'elle la connaît, va trouver moyen de raccourcir le séjour espagnol, voilà des vacances qui commencent à ressembler à quelque chose.

Isabelle est remplie en un clin d'œil d'une reconnaissance éperdue. Elle a beaucoup de chance. Elle a une famille formidable, elle est aimée. C'est l'été, l'avenir dissimule de chouettes promesses secrètes. Pour fêter ça, elle va se chercher un esquimau dans le congélateur.

Quand elle revient, l'après-midi se met en place. Claire conduit Yann à la gare. Il prend un train pour Bordeaux et revient dans la soirée. Elle propose qu'elles aillent ensuite à la plage toutes les deux et mamie.

– En voiture ?

– Ben oui, c'est plus simple, on passe ensemble à la gare et on file à la plage.

– Je préfère y aller en vélo. Je partirai avant vous. Après, y a trop de monde.

– Si tu veux. Mais tu ne râleras pas pour le retour, on ne mettra pas le vélo dans la voiture, je n'aime pas rouler avec le coffre ouvert.

– Je sais.

– Et tu feras attention, hein ? Les vacanciers sont arrivés.

– Maman, je connais par cœur. À l'aller, je prendrai la nationale…

– Il y a beaucoup de circulation sur la nationale.

Isabelle devine le petit geste d'apaisement de Yann qui a dû poser la main sur le genou de sa mère. En fait, ce sera sans doute bien qu'il s'installe avec elles. Il tranquillise Claire quand elle se fait des paniques venues d'on ne sait où. Elle a transmis cette saloperie à Isabelle, qui est déterminée à échapper au déterminisme génétique, sa terreur personnelle.

– Et au retour par le chemin creux.

– Oui, je préfère, là au moins, il n'y a pas de voitures.

Du coup, Isabelle part tôt à la plage. À l'heure où c'est calme. Et elle nage longtemps et loin. La mer

193

est l'endroit au monde où elle n'a peur de rien. Elle nage très bien. Elle a suivi des cours pour filer sur l'eau comme les nageurs en compétition. Nage libre. Ça lui va bien, libre. La souplesse du bras qui s'enfonce à peine, la respiration calme rythmée, un bras, un bras, un bras, inspiration, les battements sans écume, la vitesse en apesanteur. Elle n'est jamais fatiguée dans l'eau et elle profite de l'absence de sa mère pour aller loin, les autres baigneurs, des petits points à peine visibles derrière le plastique de ses lunettes.

Au retour, elle ralentit, travaille sur la précision du mouvement. Elle ne voit pas l'obstacle approcher qui stoppe net sa progression. On dirait un phoque marin, une espèce de monstre difforme, ses deux gros bras battant l'eau comme des rames trop épaisses, ses cheveux longs en lambeaux collés au crâne. Elle garde au bout des doigts la sensation d'une matière molle, l'écœurement lui resserre la gorge.

— Excusez-moi. Je ne vous avais pas vue.

Sa voix ne va pas avec le reste, elle est belle, harmonieuse. Isabelle se dit ça, instantanément, prise d'une pitié inattendue comme dans un conte où le gentil prince serait enfermé dans un corps d'ogre. Dès que le mot s'inscrit dans sa pensée, elle est prise d'un froid si intense qu'elle en frissonne, plisse les yeux sur un souvenir qui n'arrive pas à faire surface. L'ogre à la voix douce. D'où cette image lui vient-elle ? Elle a beau chercher un temps qui lui semble interminable, mais qui ne doit durer que quelques secondes tandis qu'elle agite les jambes pour se maintenir en flottaison, elle ne trouve pas. Il demande :

— Ça va ? Je vous ai fait peur ?

– Non, non. Moi non plus je ne vous ai pas vu venir.

Il semble soucieux de la rassurer mais son regard est étrangement inexpressif.

Claire l'appelle quand elle émerge de l'eau :

– On est là !

Elle n'arrête pas de trembler, enveloppée dans sa serviette, et sa mère la frotte en lui reprochant d'être restée trop longtemps dans l'eau.

– Non, ça va passer.

Elle s'affale à plat ventre sur sa serviette.

Quand elle va à nouveau se baigner, elle scrute les alentours sans reconnaître la silhouette de l'inconnu. Puis elle se penche pour sécher ses cheveux, se retourne brusquement sans voir ce qui a pu l'alerter. Elle enfile son short et son tee-shirt, incapable de déterminer d'où vient ce regard qu'elle sent peser sur elle. Mal à l'aise, elle demande la permission de mettre son vélo dans le coffre pour le retour. Claire, impatiente, lui rappelle qu'elle était prévenue, c'est non. Quelque chose en elle sait que les dés du destin viennent d'être lancés et que le coup a été joué bien avant le refus obstiné de sa mère.

Elle roule vite et l'œil aux aguets, la forêt est pleine d'ombres, de mouvements, le soleil joue à cache-cache et rend tout le paysage mobile.

Un cauchemar devenu réel. La masse surgit d'un buisson, puissance et vitesse conjuguées, mais elle continue de pédaler, seul son cœur s'est arrêté. Passer en force, en force, il l'est bien plus qu'elle.

Attrapée à l'épaule, soulevée en même temps que son vélo, elle ouvre la bouche pour hurler, mais le son se coince ou c'est parce qu'il a collé sa grosse paluche dégoûtante contre sa bouche. Il sue, il pue. Il la traîne à moitié, la porte à moitié derrière le rideau d'arbres. Elle n'a rien à lui donner, sauf... son téléphone qu'il envoie valser d'une pichenette. Elle voit alors une pelle fichée dans le sol. Elle se dit qu'il n'a pas creusé de trou. Elle se dit que ça n'a rien à voir avec elle. Elle sait une chose : elle ne veut pas mourir et se répète qu'elle ne mourra pas. D'ailleurs, il a masqué son visage. Elle fera tout ce qu'il demande. Ce sera juste un mauvais moment à passer. Elle est détachée d'elle-même. C'est en train d'arriver à quelqu'un d'autre qu'elle considère avec sympathie mais sans émotion.

Elle ne veut pas mourir.

C'est quand elle est allongée et qu'il est assis sur elle, l'écrasant de tout son poids, et qu'il relève son tee-shirt et son haut de maillot pour tripoter ses seins que tout lui revient, à cause de la voix et des gestes. Elle tourne la tête et le regarde, cherche à capter son regard derrière les lunettes jaunes. Elle sait qu'il ne faut plus le quitter des yeux. Elle dit :

– On se connaît.

26

PENDANT deux semaines, après l'agression, Cécilia reste cramponnée à son téléphone. Isabelle
l'appelle régulièrement pour échapper à l'ambiance
mortifère qui règne chez elle. Comme s'il y avait eu
un décès, explique-t-elle, tout le monde marche sur
la pointe des pieds, parle bas. Elle ne met plus le nez
dehors, sauf pour aider l'enquête. Son agresseur a été
arrêté, elle l'a reconnu, a reconnu sa voix si surprenante. On lui a évité la confrontation directe. Tout le
monde est gentil avec elle. Trop.

— Fais-moi rire, ordonne-t-elle à son amie.

Tu parles comme c'est facile. Cécilia aimerait bien
voir la tête d'Isabelle. Un événement pareil a dû la
métamorphoser. Un jour, Isabelle accepte de skyper.
Cécilia la scrute sur écran. Elle n'a pas l'air différente.
Son bronzage est estompé, c'est tout.

— Ça va ? Tu tiens ?

— Oui, oui. Mais faut que je te parle de quelque
chose, pas comme ça, pas de loin. Tu peux venir ?

— À Fouras ?

Ben oui, à Fouras. Il faut faire casquer la grand-mère

parce que sa mère n'a pas les moyens de lui payer un billet d'avion à prix fort. Heureusement, Cécilia adore les missions impossibles. Ce qui tombe bien parce qu'une deuxième l'attend.

Avec Cécilia, Isabelle a pu reprendre le vélo et assez de poil de la bête pour convaincre sa mère de les laisser partir en vadrouille sans chaperon. Claire les dépose à La Rochelle pour faire les magasins. L'architecture classique et ordonnée de la ville est un cadre rassurant. Elles s'installent à une terrasse sur le vieux port.

Isabelle raconte. C'était il y a dix ans, quand elle en avait sept. Elle a tout reconstitué. Ils étaient à Fouras comme tous les étés. Lucas était censé la surveiller pendant que sa mère se baignait. Il jouait au volley avec des copains et elle s'était éloignée, tête penchée vers le sable pour ramasser des bouts de verre colorés. Elle avait peu à peu rejoint le bois de pins et, tout à coup, une voix très douce lui avait dit qu'il aimerait bien voir ce qu'elle avait dans la main. Elle s'était approchée, paume ouverte, très fière. L'inconnu lui avait proposé de s'asseoir, ils seraient mieux comme ça. Il avait lissé le sable pour qu'elle y dépose son trésor multicolore. Puis il avait dit qu'il la trouvait très jolie, que sa peau était très douce, et elle s'était raidie parce que les petites caresses qu'il lui imposait la mettaient mal à l'aise et il sentait mauvais, la transpiration et un truc un peu moisi. Il lui avait saisi le poignet quand elle avait entendu la voix de sa maman qui appelait son nom et elle s'était levée d'un bond en criant : «Je suis là», mais pas assez fort pour que sa mère l'entende, et l'homme lui avait serré l'épaule à lui faire mal et chuchoté des menaces monstrueuses sur ce qu'il ferait à sa mère et à sa grand-mère, si elle ne se taisait pas. Il avait murmuré d'un ton méchant : «Je peux tuer tout le monde si je veux.»

Et disparu. Quand sa mère lui a demandé pourquoi elle pleurait, elle a dit que c'était parce qu'elle avait perdu ses bouts de verre dans le sable et quand sa mère a proposé de l'aider à les récupérer, elle a refusé, et, au contraire, a enfoncé avec le pied ceux qui dépassaient.

Lucas a été privé de plage pendant une journée et elle a commencé à avoir peur de tout, du noir, des garçons, de la vie. Elle ne savait pas pourquoi puisqu'elle avait tout effacé. Jusqu'à ce qu'elle entende la voix suave de Jean Chardin ce 11 juillet 2009.

Cécilia a du mal à masquer son incrédulité :

– Et c'est le même? Tu penses qu'il t'a eue à l'œil pendant toutes ces années?

Isabelle secoue la tête d'impatience.

– Bien sûr que non. Je ne suis pas parano. Mais il vit tout près et il est tombé sur moi une deuxième fois.

– Tu en as parlé aux flics?

– Tu penses bien que non!

– Mais pourquoi?

Parce qu'on va croire qu'elle affabule. Parce qu'elle n'en a jamais parlé à personne. Parce qu'elle ne peut rien prouver. Et que lui niera.

Isabelle parle bas et précipitamment, comme s'il y avait urgence. Son ton exalté plein de certitude ne lui ressemble pas. Elle jette un regard soupçonneux autour d'elle.

– Il voulait me tuer mais ça, personne ne le croira. Même ma mère ne m'a pas crue quand je le lui ai dit. Parce que, dans l'esprit des gens, c'est simple. Un tueur tue. Jean Chardin ne m'a pas tuée, ce n'est pas un tueur.

Elle esquisse un sourire qui fait plus peur à Cécilia que les paroles qui l'accompagnent. Maintenant, Isabelle le tient. Il est en prison et, cette fois, il y a des preuves. Il y a le sperme. Elle a fait ce qu'il fallait. Et elles ont le temps.

– Le temps de quoi? demande Cécilia, de plus en plus inquiète.

– Le temps d'enquêter. Et c'est là que j'ai besoin de toi.

Que son amie disjoncte vu les circonstances, Cécilia trouve que c'est la moindre des choses. De retour à Paris, sa mère l'enverra voir un psy et elle redescendra de son vertige de toute-puissance. Elle raisonne qu'il est de son devoir d'aider Isabelle à tenir jusqu'au procès qui lui permettra d'accepter ce qui s'est passé et de reprendre sa vie. Que son amie délire un peu, c'est normal, elle se charge de la ramener progressivement à une juste mesure. Et si, pour cela, il faut l'accompagner dans son délire, elle le fera. D'autant qu'au bout du compte, même si elle n'y croit pas une seconde, l'entreprise l'amuse. Elle n'imagine pas qu'il va s'écouler deux ans jusqu'au procès.

27

CE DIMANCHE est un jour de pluie, sans barbecue.

– On va tout te salir, dit madame Chardin à sa fille, qui réplique que c'est l'avantage d'avoir tout carrelé, l'entretien n'est pas un problème.

Françoise est devenue une bonbonne dont on ne sait plus où elle commence où elle finit. François en a plein les mains jusqu'à saturation comme cela se devine à ses petits apartés irrités et à l'expansion continue de sa consommation d'alcool. Il ouvre les festivités par l'apéro, son impatience tangible :

– Un petit pastis pour changer, papa ?

– Doucement, doucement, tu m'en donnes un… d'accord… et puis après… j'en prends un autre !

L'humour à la con, façon Chardin.

– Et une grenadine pour Jeannot ? Non, je rigole, j'ai mis des bières au frigo. Tu vas t'en prendre une et tu m'en ramènes une autre ? La grosse maman est à l'eau et la belle-maman, ce sera quoi aujourd'hui ?

– Vous avez toujours votre Martini blanc, François ?

– Jeannot, au passage, tu prends la bouteille au frais pour ta pochetronne de mère ?

– Oh lui, roucoule madame Chardin.

Jean Chardin est ici chez lui, plus à l'aise que dans l'appartement de ses parents, plus à l'aise même que dans son deux-pièces. Il a mis la main à la pâte, le garage, l'auvent, la terrasse-patio, tout ça, c'est lui quand même.

À l'abri des regards, il ouvre le frigo, prend les bouteilles et referme la porte négligemment du gras du pied. Il s'assied à la table de cuisine, carrelée aussi et nickel, sa sœur tient son ménage rigoureusement, et il lève sa canette à un visiteur imaginaire, un pote de passage qu'il aura retenu pour le dîner ou à sa femme en train d'écosser les petits pois quand il aura la femme, la maison, le travail. Dans son esprit, c'est le bon ordre. On commence par la femme et le reste suit. Son père sans sa mère n'aurait jamais résisté aux chocs de la vie et François sans sa sœur ne se serait pas lancé dans l'achat d'un pavillon, sans parler des trois enfants. C'est ce qu'il lui manque, un moteur. Une femme.

– Alors, barman, ça arrive ! La cliente s'impatiente…

– Je vérifiais que ça fuyait pas…

– Tu fais plombier maintenant ?

– Allez, à la tienne !

Les deux contemplent leur verre où le liquide mousse, trinquent solennellement.

Françoise poursuit son anecdote en cours :

– Une espèce de baraque, genre camionneur. Je lui demande son nom et il me dit «Lydia Roquencourt». Je lui fais répéter et il me répète bien : Lydia. Sympa le type d'ailleurs mais il m'explique qu'il est une femme, une femme dans le mauvais corps, et que c'est pas simple à vivre tous les jours, ce que je veux bien croire. Je n'ai pas osé lui poser de questions précises, mais j'aurais bien aimé.

– Eh ben lui alors...

– Vous imaginez ? Jean qui arrive et qui vous annonce qu'il est une femme dans un corps d'homme ! Parce que c'était le même genre de physique. Hyper viril. Vous imaginez !

– Ton frère est normal.

– Je sais, maman. C'est pour que vous imaginiez le truc.

– Il n'était pas obligé de te raconter tout ça quand même.

– C'est le métier qui veut ça. On nous apprend à écouter. C'est la première étape.

Monsieur Chardin se dit que la vie est assez compliquée comme ça, on est ce qu'on est, on fait avec, qui se sent merdeux, qu'il se torche tout seul. Un homme, c'est un homme, une femme une femme, il n'y a pas à tortiller, tout le reste, c'est du fantasme.

Éric, un grand maigre à lunettes, passe boire l'apéro. Les Dubrovski lui ont parlé de Jean.

– Il paraît que vous êtes spécialiste des dalles de béton !

Le mot béton déclenche des images syncopées. Le petit visage qui se plisse, les yeux qui débordent de larmes, la tête qui s'incline. La gamine trébuche quand il la pousse de la main.

– Hé, Jean ! Ça va ? T'es avec nous ? Éric, je te présente mon beau-frère, le poisson rouge.

François ouvre et ferme silencieusement sa bouche arrondie, dans une parodie insultante.

Jean Chardin secoue la tête, arrête le film et un sourire mécanique lui barre le visage comme un sens interdit.

– Éric, c'est ça? On se tutoie?

Le pavillon d'Éric est au bout de la rue. Il a exactement la même configuration que celui des Dubrovski. Sans souci. Le voisin propose de se retrouver au mois d'août parce qu'ils partent en vacances la semaine prochaine.

Non, non, la semaine prochaine, c'est très bien, Jean préfère travailler seul, il fera ça pendant leur absence. Non, non, pas de paiement, il gardera les factures des fournitures, de la location du camion, et après, il compte bien être invité à dîner.

– Ce qui te coûtera un bras, je te préviens, s'esclaffe François. T'as vu la bête!

Un jour, pense Jean, je lui foutrai mon poing dans la gueule.

Avant d'entamer le chantier, il ira à la plage. Il a fait le calcul, ça le prend tous les deux ans mais là il se sent fort, prêt à tenir le coup. Il a vieilli. Il a jeté les films X et ne va plus sur Internet. Ce serait absurde de se priver de plage alors qu'il n'aime que ça, nager dans la mer. Toute peine mérite salaire.

S'il décide d'aller à La Grande-Motte, c'est parce qu'il ne connaît pas. Et qu'il adore conduire. Au volant, il ne s'énerve jamais, passe les vitesses souplement, garde un train régulier dans les limites autorisées. Il aime la sécurité des rétroviseurs qui permettent de contrôler ses arrières, rien de plus

pernicieux que le passé quand il vous prend par surprise.

Du coup, il n'est pas préparé quand l'avenir le prend
par surprise. Parce que la fille de La Grande-Motte se
jette carrément sur lui. Quasiment le supplie. Il n'a
pas le choix. Encore heureux qu'il y ait eu le chantier
parce que sinon, il aurait été salement coincé.

Bien sûr, il l'avait repérée, le moyen de faire autrement. Mais il n'est pour rien dans son pneu crevé. Et il
ne lui propose rien, il s'en lave les mains. C'est elle qui
lui court après ! Elle dit quoi la vie, là ?

Cinq minutes après qu'il l'a embarquée, elle tam-
bourine contre la tôle, elle est du genre à s'inquié-
ter. L'hôtel est à un quart d'heure maximum, elle
veut lui indiquer la route. Vaut mieux entendre ça
qu'être sourd. Il s'arrête sur une aire de repos déserte,
tu parles d'un repos. Il dit : « Ça va, on est arrivés. » Il
ouvre et il l'assomme, pas le choix, puis la bâillonne
avec son adhésif ultra-puissant. Elle est du genre à faire
du ramdam. Il tâte son trousseau de clés, les clés du
voisin y sont, celle de la cave en particulier.

Il décide que ce sera la der des ders. Pour de bon.
Il se le dit avant, il se le dit après, il ne se le dit pas
pendant. Elle pleure beaucoup, dans ses yeux affolés se
jouent des films à venir encore plus terrifiants. Il reste
longtemps avec elle. À la fin, elle est comme un jouet
devenu tout mou. Bon à jeter.

Pour le remercier, Éric lui offre un bonsaï. L'idée
d'un arbre empêché de grandir le fascine. Il lit le
manuel d'entretien puis se plonge dans les livres spé-
cialisés. Il apprend à repérer les bonsaïs naturels qu'il

déterre, retravaille pendant des mois et offre autour de lui.

Jean Chardin pense de moins en moins qu'il méritait mieux. Un meilleur salaire, un appartement plus grand? Pour quoi faire? Il est heureux comme ça. Avec les dimanches en famille, les petites virées en solitaire et un patron content. Démonter pièce à pièce, nettoyer, changer ou réparer, tout remettre en place, à sa place précise, unique, et après, refermer le capot et ni vu ni connu. Un coup de chiffon et roule ma poule. Rien de plus satisfaisant que la mécanique.

Est-ce que l'argent et la réussite lui auraient permis de trouver une femme à son pied? Bien sûr que non, il aurait été aussi exigeant qu'il l'est aujourd'hui et l'argent n'achète pas l'amour, tout le monde sait ça.

Il est plein de bon sens. Sinon, il y a longtemps qu'il se serait retrouvé en prison.

Il y pense parfois. Il y serait comme derrière le rideau de la chambre de ses parents, protégé et caché. Mais ce serait trop dur pour sa famille.

28

Procès de Jean Chardin

Ce troisième jour du procès, les témoins de la défense obligent les jurés à revisiter tout ce qui semblait acquis. Ça griffonne à mort sur les feuilles de format A4.

Madame Chardin, la mère de l'accusé, raconte d'une voix monocorde un petit garçon joyeux, bon en classe et gentil. Gentil, il le reste. Encore aujourd'hui. Et craintif. Oui, c'était difficile de cohabiter dans un appartement riquiqui mais autant leur fille s'en plaignait, autant Jean... Pas son genre de râler. D'autant que la présence de ses parents le rassurait, au fond.

– Jusqu'à vingt-sept ans? s'étonne la présidente.

– Un enfant, c'est un enfant.

C'est comme les repas qu'elle lui apportait quand il a pris un appartement, même s'il ne lui a jamais rien demandé.

Bien sûr qu'on parlait dans la famille, comme dans toutes les familles. Sur comment ça va la santé, le boulot, tout ça, et puis les blagues. Avec son beau-frère, c'était un concours de rigolade, conclut-elle d'un ton sinistre. Son visage lugubre porte le deuil d'on ne sait quoi, un chagrin ancien qui a tout desséché.

Bien sûr qu'elle sait que son mari ne va plus voir leur garçon. Elle si. C'est son fils. C'est son devoir.

À son habitude, le gros garçon sans âge débordant de sa chaise s'essuie les yeux. Elle, de corps et d'attention, reste rivée à la présidente comme à un hypnotiseur qui la tiendrait debout. Pas une fois elle ne regarde son fils et ne parle que de lui. Il est le personnage absent d'une autre vie. En revanche, sa réticence à parler d'elle-même résiste aux assauts de la présidente.

– Une vie heureuse ?

– Oui, normale.

– Mariée jeune ?

– Vingt ans. Fiancée à dix-neuf, mariée à vingt.

Elle hausse les épaules. Ils se sont connus, se sont plu. Son ton résigné laisse penser que lui ou un autre, avant qu'elle ne précise que son époux est un homme bien, un homme loyal.

Si elle a connu d'autres hommes avant ? Elle passe d'un pied sur l'autre. « Connu », non. Bien sûr qu'elle aime son mari, c'est son mari.

– Mais vous-même et votre mari ne manquiez pas… d'intimité avec votre fils à côté, derrière un rideau ?

– On faisait attention et puis, on avait un peu passé l'âge.

Elle s'énerve d'un coup, en impromptu :

– Faut arrêter avec ces histoires de sexe. C'est pas non plus le début et la fin de tout. Les hommes ont des besoins, les femmes moins, on se débrouille, y a pas de quoi couper trois pattes à un canard.

Deux jurés, toujours les mêmes, un homme et une femme devenus complices au fil des débats, pendant les suspensions aussi sans doute, échangent un sourire.

– Bon, sans parler de sexe, est-ce qu'il vous arrivait de parler d'amour avec votre fils ?

Le malentendu se lit simultanément sur le visage de madame Chardin et dans ses mots :

– Je l'aime, c'est mon fils, mais on ne va pas se faire des déclarations toute la journée.

– Non, je veux dire, de sentiment, les siens, les jeunes filles qu'il rencontre ou, je ne sais pas... Vous lui avez raconté votre rencontre avec votre mari ?

La présidente semble faire une affaire personnelle du mutisme qui règne dans cette famille mais son insistance rend l'audition de madame Chardin trop laborieuse pour être efficace. Les certitudes bétonnent l'entêtement de madame Chardin.

La partie civile interroge le témoin sur cette première affaire d'agression sexuelle. Madame Chardin n'aime pas ce choix de terme : c'étaient des attouchements, un truc de gosse.

Mais ils en ont parlé ?

– Bien sûr, répond la mère d'un ton offusqué.

– Et... ?

– Il était désolé, il s'est excusé, il a dit qu'il ne recommencerait pas.

L'avocat général continue de n'avoir aucune question, la défense, elle, en a. Sur le même sujet :

– Votre fils vous a dit qu'il ne recommencerait pas et le fait est qu'il n'a pas recommencé. Pendant dix-huit ans. Il voyait un psychologue ?

– Au début, il était obligé.

209

– Et après?

– Après non, on ne croit pas trop à ça dans la famille. Et puis, il ne se passait rien.

La sœur succède à la mère. Françoise Dubrovski, née Chardin, plus petite mais aussi lourde que son frère, rejoint la barre avec difficulté. Elle est la plus véhémente en défense de son frère. Ce qu'il a fait n'est pas bien, vraiment pas, mais elle a une théorie sur pourquoi l'enfant joyeux qu'était Jean est devenu taciturne à l'adolescence. Tout le monde dresse l'oreille, sentant venir du neuf.

– Et quand je dis à l'adolescence, c'est du jour au lendemain. La seule fois où il a passé des vacances sans nous. Avec un oncle, le frère de maman, qui l'a emmené en rando pêche. Je ne sais pas ce qu'il s'est passé là-bas mais il s'est passé quelque chose, c'est sûr, après, Jean n'était plus pareil. Plus timoré, plus inquiet et triste. Je me rappelle très bien. Triste.

Un friselis silencieux parcourt le public.

– Tout le monde parle de lui comme d'un blagueur.

– Ça n'empêche. Les blagueurs ne sont pas forcément des joyeux.

La présidente demande à Jean Chardin de se lever et de raconter à la cour ces fameuses vacances.

L'accusé, éternellement désolé et évidemment perplexe, ne se rappelle rien. Il aime bien la pêche, ça oui, mais les vacances avec l'oncle Marcel… Il sait qu'ils avaient une petite tente, il se rappelle qu'il n'a jamais réussi à la monter tout seul et qu'ils ne sont plus jamais repartis ensemble.

– Vous le voyez encore?

– Non, il est parti s'installer en Australie.

210

– Et vous vous écrivez ?

– Non. C'était mon parrain aussi. Mais bon, c'est loin l'Australie.

La placidité de l'accusé commence à le rendre touchant. Résigné au malheur qui délimite sa vie, affublé d'une mère inhibée, soutenu par une sœur au discours efficace, et son acte, sinon justifié, du moins rendu compréhensible par l'éventualité d'un traumatisme ancien, voilà qui change la donne. Les jurés sont très attentifs, pas de regard au plafond, pas de stylo mordillé.

Le reste du témoignage, fait de redites, a moins d'impact. Françoise raconte le dévouement de son frère, qui n'hésitait pas à passer des week-ends entiers sur les différents chantiers qui ont permis d'améliorer leur petit pavillon. Ils envisageaient même une piscine, cet été-là.

– Cet été-là ?

– Oui, l'été 2009.

Françoise darde un regard agressif sur Isabelle, comme si elle était responsable de l'ajournement du projet. D'un ton sans appel, elle conclut qu'elle a toujours confié ses enfants à son frère et qu'elle recommencera pareil.

La travailleuse sociale qui suit le dossier de l'accusé intervient à son tour. Elle raconte un garçon attachant, attentif aux autres, qui n'a jamais eu l'occasion de vraiment sortir de l'enfance. Son emprisonnement depuis deux ans l'a fait mûrir. Il lui parle beaucoup de ses progrès avec le docteur Braconnier. Il regrette d'avoir arrêté ce travail analytique quand il était plus jeune. Il s'est cru plus fort que la musique. Elle pense que sa timidité est un gros problème, son manque de confiance. Il ne se plaint jamais, accepte sa punition. Elle ne sait pas s'il l'a exprimé, il s'exprime peu, mais il est ravagé par les remords, effondré d'avoir gâché la vie d'une jeune fille. Et il veut s'en sortir. Il a enfin compris qu'il ne pouvait pas s'en sortir seul. Qu'il devait s'émanciper, voire rompre avec sa famille. Elle s'excuse de sortir un peu de son rôle mais elle a développé une véritable affection pour l'accusé, qu'elle pense incapable de se défendre parce qu'il a un sentiment de culpabilité écrasant. Au point qu'il se renseigne sur la castration chimique. Est-ce qu'il en a parlé ?

Jean Chardin à nouveau debout en appui sur ses mains confirme :

– Oui, j'ai tellement peur que cela recommence, que je me dis que c'est peut-être la, comment, solution. Parce que l'idée de faire à nouveau du mal à quelqu'un comme la victime...

Il hoche la tête vers Isabelle qui ne bronche pas derrière ses cheveux.

La présidente demande s'il a le sentiment d'avoir appris quelque chose durant ces débats sur sa famille, son rapport à eux.

Il comprend maintenant qu'il vit en vase clos avec eux et que ce n'est pas bon pour lui. Mais il n'a rien à leur reprocher. Il n'y a qu'à lui-même qu'il peut faire des reproches et il ne s'en prive pas.

Il tente de camoufler les larmes qu'il n'arrive pas à retenir.

L'assistante informe la cour que l'accusé travaille à la maison d'arrêt, qu'il s'occupe de la bibliothèque et donne des cours d'alphabétisation à un groupe de détenus étrangers. Dans cette petite société que constitue la prison, loin de sa famille, il remplit un rôle social, se rend utile.

Agnès Damboise suggère que, si elle a bien compris le témoin, en prison, loin de toute tentation, monsieur Chardin ne représente plus aucun danger pour la société. Et que, par conséquent, en liberté, le risque de récidive revient en force.

Non, objecte l'assistante sociale. Elle veut dire qu'il a appris à vivre en société.

Un juré fait passer une question à la présidente. Pendant ces fameuses dix-huit années, l'accusé peut-il décrire sa situation sur le plan sexuel ? Devait-il résister à des pulsions, était-ce difficile ? Réussissait-il à éloigner ses désirs de passage à l'acte en restant éloigné des tentations ?

Jean Chardin réfléchit, le visage plissé par l'effort.

– J'ai eu tort, mais je croyais vraiment, à cause du premier procès, à cause de la prison aussi, que c'était fini. J'ai eu tort sur toute la ligne. J'ai abusé des films pornographiques parce que je pensais que grâce à eux... enfin que ça me suffirait.

Il regarde en direction d'Isabelle, toujours tête baissée derrière son rideau de cheveux. Il secoue la tête en soupirant.

– La victime, j'admire vraiment la victime. Je ferai tout, je suis prêt à tout pour ne jamais, comment, jamais recommencer. J'ai besoin d'aide. C'est sûr. Je réfléchis beaucoup. Je n'avais pas assez réfléchi avant. Le docteur Braconnier m'aide beaucoup.

La présidente intervient. Et s'adresse aux jurés :

– Le docteur Braconnier est notre prochain témoin.

C'est le médecin psychiatre qui suit monsieur Chardin en prison.

Le docteur Braconnier est un petit homme rondouillard qui porte un costume de lin clair et un nœud papillon à pois. Il sourit tout le temps d'un air bienveillant et ne devient sérieux que lorsqu'il tente une pointe d'humour. Il ne veut pas se substituer aux experts mais souhaite témoigner de la bonne volonté manifeste de son patient. Il consulte à peine ses notes.

Jean Chardin a passé l'essentiel de sa vie verrouillé, sans aucun accès à ses émotions, à ses contradictions. Dans sa famille où on ne parle pas, on se doit de faire bonne figure face aux difficultés. On serre les dents et on avance. Face à des pulsions hors normes, l'accusé ne pouvait que refouler dans une sorte de coffre-fort interne tout ce qu'il considérait inacceptable par les siens. Et puis, d'un coup, la porte cède et le passage à l'acte, l'impulsion, comme dit l'accusé, devient irrésistible. Alors que si le verrou est défait, que l'air circule, tout est plus léger, et il devient possible de résister.

Veut-il dire que les pulsions seront toujours actives ?

– Comme chez nous tous. Qui n'a pas eu soudainement envie de tuer quelqu'un ? L'étonnant, si on y réfléchit, c'est que la majorité d'entre nous résistent.

Lui est contre la castration chimique, sauf cas extrême.

– Et monsieur Chardin n'est pas un cas extrême, selon vous ?

– En tout cas, ce serait en dernier ressort, si la psychanalyse se trouvait obligée de rendre les armes.

S'ensuit, à la surprise générale, une intervention

musclée du procureur. Ils sont ici devant un cas de récidive. La psychanalyse les a faites, ses preuves !

– Trop courte, trop vite arrêtée et avec un sujet récalcitrant, répond sèchement le psy.

– Ce qu'il n'est plus ? souligne la défense.

– De toute évidence ! Pour ceux qui sont de bonne foi.

Jean Chardin écoute le docteur Braconnier avec une gratitude enfantine.

La lourdeur propre aux atmosphères d'assises s'est progressivement levée en même temps que le ciel dehors se découvrait. Le jury sort avec une démarche plus vive, une impatience d'aller débattre, qui tranche sur les journées précédentes.

29

Yann est aussi sceptique que Cécilia face à une mission qu'ils jugent impossible parce que illusoire. Pour tenir, Isabelle a besoin d'une cause plus grande qu'elle. Elle a été seule face à son agresseur, il est hors de question de la laisser seule aujourd'hui. D'une certaine façon, Yann envisage son engagement comme un acte de réparation au nom des hommes.

Pendant qu'Isabelle réduit progressivement le champ d'investigations, Cécilia recense des faits divers similaires sur Internet. Isabelle les trie et Yann, en tant qu'adulte, contacte les familles.

Lui qui n'a jamais voulu avoir d'enfant reçoit, pendant dix-huit mois, des tombereaux d'une douleur qu'il n'imaginait pas. Sa décision n'en est que renforcée, car un enfant qui disparaît sans laisser de traces, c'est une vie coupée à sa racine, elle n'a plus de quoi se nourrir. C'est une vie qui s'étiole tout en faisant semblant de continuer. Les parents qu'il rencontre ne cessent de remonter le cours de leur vie vers la source, cherchant la faille, leur responsabilité. L'idée du dieu hasard est la pire des hypothèses. Alors ils égrènent les possibilités :

un enlèvement suivi d'un enfermement pendant des années, un rapt avant le départ pour l'étranger, la traite des Blanches, la fugue sous mauvaise influence, la coercition dans un réseau de mendicité, de drogue.

Il a vu une vingtaine de personnes. Le chiffre n'est pas colossal mais chaque rencontre est compliquée. Ce qui aide, c'est que chacune de ces personnes, que tout le monde, à la longue, se lasse d'écouter, est avide de parler. Alors, Yann prend sur son temps et écoute les mêmes récits, parfois montés en boucle, avec une patience qu'il ne se connaissait pas. Après, il résume par écrit les faits récoltés.

Cécilia et lui se soutiennent mutuellement. Ils sont persuadés que toutes ces fiches accumulées ne serviront à rien. Aucun élément ne permet de relier Jean Chardin aux autres disparitions. Pour se rassurer, Cécilia utilise la méthode Coué :

– On n'a rien de concret. Isabelle est assez intelligente pour le savoir. À mon avis, elle ne se fait aucune illusion, elle a juste besoin de se sentir épaulée, de ne pas être seule. Et puis, c'est mieux d'être actif, non ? Hein, Yann ? Vous êtes d'accord ?

Contrairement à leurs prédictions, le procès déclenche chez Isabelle un redoublement frénétique des recherches. Au deuxième jour, elle les appelle, totalement excitée :

– J'ai trouvé le point commun, c'est les travaux de maçonnerie. Il a enterré ses victimes sous le béton. C'est le lieu idéal.

Elle leur demande de recouper les dates qu'elle a notées à l'audience. Elle y croit à fond. Et cela va crescendo.

217

– Jean Chardin est mort! Il suffira de casser les terrasses, les fondations de la maison en Espagne, le garage de la sœur, la dalle du voisin. Les corps sont là!

– C'est une hypothèse. Il faut des preuves.

– J'en fais mon affaire. À mon tour de le terroriser.

Cécilia et Yann restent silencieusement consternés. Trop engagés pour faire marche arrière, ils obéissent aux ordres.

Cécilia reste à Paris, Yann rejoint Claire et Isabelle. Le jour du verdict, dans ses petits souliers, il accueille à la gare Pauline Gérard, la sœur de Jeanne, Frédéric Defait, le père de Mélusine, Elena, sa nouvelle compagne, et Steve Grandier, le fiancé d'Irène Nemski. Il se sent écrasé par la responsabilité qu'il endosse en faisant renaître un espoir fou chez tous ces gens. Il le lit sur leurs visages. Ils se sont parlé, se sont renforcés dans leur certitude qu'ils allaient savoir.

Le principe de la tragédie est qu'on tombe de beaucoup plus haut qu'il n'est humainement supportable. Yann a le sentiment de les avoir emmenés à des hauteurs vertigineuses, sans aucune sécurité pour le retour.

30

Procès de Jean Chardin

Le tribunal se remplit progressivement dans l'attente du verdict.

Isabelle a repris sa place à gauche. Dans le public, au premier rang du même côté, Claire et Yann sont assis très près, les doigts en contact sur le siège, et Jean-Loup, seul en bout de banc.

La mère et la sœur de Jean Chardin sont restées au fond de la salle, sur le côté droit, celui de l'accusé.

Une journaliste de la presse locale, présente aux plaidoiries, est revenue pour le final. L'avocat général compulse le Code civil. L'avocat de la défense trie ses papiers qu'il glisse dans des chemises cartonnées. Il est manifeste qu'à ses yeux, le dossier est clos.

L'accusé ne cesse de se lisser les cheveux en arrière, sans effet car ils sont trop courts. Il observe subrepticement Isabelle qui garde sa posture habituelle, un peu voûtée, regard vers le bas, sa frange en rideau infranchissable. Sa main repose sur des feuilles imprimées devant elle. Son avocate arrive après tout le monde.

Isabelle lui jette un regard interrogateur. Agnès Damboise y répond d'un hochement de tête imperceptible.

Tout le monde se lève à l'entrée de la cour. Le silence règne.

Le verdict est énoncé par la magistrate. Le jury n'a pas suivi les réquisitions de douze ans, monsieur Jean Chardin est condamné à huit ans de prison ferme avec obligation de soins. L'audience civile commencera dans une demi-heure.

Claire cherche le regard d'Isabelle, qui passe devant elle sans lui prêter attention, puis elle suit Jean-Loup qui se dirige vers la sortie. Yann est derrière elle mais il oblique vers un petit groupe d'inconnus au fond du tribunal.

Sur le trottoir, un cameraman de France 3 interpelle Isabelle qui s'arrête sans manifester de surprise.

— Êtes-vous prête à faire une déclaration après ce verdict... qui vous a satisfaite ou déçue ?

Isabelle regarde la caméra, le technicien hoche la tête.

— Ni déçue, ni satisfaite. Pendant que le jury délibérait, moi aussi, j'ai réfléchi. Dès que cet homme sortira, il recommencera à traquer et tuer comme il l'a déjà fait sans être jamais soupçonné. Jean Chardin ne m'a laissée en vie ce 11 juillet 2009, que parce que nous avions conclu un marché. Un marché que j'ai décidé de ne pas respecter.

Le public du tribunal s'est progressivement approché. Isabelle lit le texte qu'elle a préparé. Elle parle fort et ferme. Des jurés sortent et se mêlent à la foule. Claire et Jean-Loup sont côte à côte, hors du champ de la caméra. Agnès Damboise, sur le trottoir d'en face, dos tourné, téléphone. Yann écoute, l'air las, entouré de son petit groupe extrêmement attentif.

– J'étais une enfant peureuse. Je pensais connaître la peur, je n'en avais même pas le début du commencement de l'idée. Ce jour-là, j'ai su ce que c'était vraiment, une sensation abjecte, avilissante, déshumanisante. Ce jour-là, je suis devenue un fétu de paille emporté par une tempête. La tempête ne considère pas le fétu, elle le broie, c'est tout. Parce que c'est sa nature. J'allais être broyée et disparaître sans laisser de traces parce que j'avais rencontré l'ogre. Pour que je sois sauvée, il fallait qu'il redevienne un homme. Qu'il se rappelle que j'existais comme lui, que j'étais sa semblable. D'abord j'ai parlé, parlé, et à un moment, il a dû me répondre parce qu'il est vaniteux. C'est comme ça qu'il a fini par m'avouer qu'il m'observait depuis des jours. Dès qu'il a ouvert la bouche, il a senti le danger et il a repris la grosse voix de l'ogre. Il m'a ordonné de me coucher par terre. J'ai obéi. Je devais me soumettre. Être consentante. Je l'ai été. Et davantage. Quand il m'a ordonné d'avaler, j'ai gardé du sperme dans la joue. Après, j'ai tout craché par terre pour qu'il y ait une trace.

» Il transpirait fort, les gouttes tombaient sur mon ventre, je me suis demandé si on pouvait trouver de l'ADN dans la sueur. Je n'ai pas pleuré, ni supplié, ni rien, j'ai repris la parole, c'était dingue, comme dans une conversation normale, comme s'il n'était pas assis sur moi à m'étouffer. J'ai demandé si c'était la première fois pour lui. Il a fait non de la tête avec un air malin.

« Et les autres, vous les revoyez ?

221

– Sous deux mètres de béton ? »

» Il a regardé comment je réagissais. Il avait besoin de ma faiblesse. L'ogre n'existe que par la peur. J'ai compris ça. J'ai mis toutes mes forces, toute ma volonté à dominer ma terreur gigantesque. Ça l'a soufflé quand j'ai dit que j'aimerais le revoir, si lui voulait. Qu'on était pareils, que moi aussi j'étais seule.

» Il a ricané :

« Parle pour toi.

– Vous avez une femme, une famille ?

– T'occupe !

– Moi, je suis seule. Pourquoi vous me gardez pas avec vous ?

– Comme si c'était… »

» Ça lui a échappé.

« Peut-être que les autres ne voulaient pas, mais moi, vous avez vu, j'apprends vite, je suis docile. »

» J'avais la bouche sèche mais mon tremblement ne se voyait pas. Il m'a dit d'arrêter, de la fermer. Il n'arrivait pas à retrouver la voix de l'ogre. Alors, j'ai continué, j'ai parlé de moi, qui j'étais, où j'habitais, que j'étais malheureuse chez moi, que mes parents étaient séparés. Il pesait de plus en plus lourd. Il fatiguait, quelque chose en lui fatiguait. J'ai commencé à parler de lui. Lui dire qu'il pouvait se sauver, que s'il me faisait confiance, il serait sauvé. Moi, je pouvais le comprendre, je pouvais partager son fardeau. Il ne courait aucun risque avec moi, il était si fort et moi toute petite. Il se fissurait petit à petit. J'ai franchi le dernier pas, le plus risqué mais sa vanité m'a sauvée. Je lui ai chuchoté que ça m'avait plu ce qu'il m'avait fait. Qu'on pourrait recommencer.

» Il a roulé sur le côté, me déchargeant de son poids, je ne me suis pas enfuie. Je suis restée. Quelque chose me dictait chacun de mes gestes. Sa tête était trempée tellement il transpirait. Mais je l'ai caressée en demandant qu'il me parle, ça lui ferait du bien, je n'allais pas le juger. Il s'est mis à balbutier contre ma joue, je n'ai pas perdu un mot, j'ai tout enregistré. Il bégayait son cauchemar tordu. Quand il pleurait, je me demandais comment recueillir ses larmes pour l'ADN. Je l'ai encouragé jusqu'au bout. Il a tout confessé. À la fin, j'ai pris sa main entre les miennes. Je lui ai expliqué ce qui allait se passer. Il allait partir sans laisser de traces parce qu'il était prudent et intelligent. Il savait tout de moi, moi rien de lui. Je ne dirais rien à personne, personne ne saurait rien et lui pourrait me retrouver quand il voudrait. Ce serait notre secret. Il n'avait qu'à emporter mes vêtements. De toute façon, je lui laisserais le temps de disparaître. Je l'ai regardé droit dans les yeux pour lui dire : "Vous ne recommencerez pas parce que je suis la dernière. Vous entendez ? La dernière. Ça va aller. Je vous le promets."

Dans le tribunal clair et lisse, Isabelle Delcourt vient de relire son texte au bénéfice, cette fois, de la cour et de l'accusé réunis à nouveau pour l'audience civile. Jean Chardin, fasciné, l'écoute conclure :

– En parlant aujourd'hui, je tiens ma promesse.

La salle est bondée, comme si la nouvelle avait eu le temps de parcourir la ville. Les jurés se sont mêlés au public, les juges sont pris de court, l'audience civile n'est pas le lieu des coups de théâtre.

Isabelle repose son paquet de feuilles imprimées

devant elle, ses mains tremblantes ont du mal à les aligner.

Jean Chardin se lève, un bloc vertical. Il ne se bat plus contre le micro. Il dit d'une voix méconnaissable, celle de l'ogre, brutale, rauque :

– Elle ment !

Isabelle reprend son papier et, tournée vers celui qui est à nouveau l'accusé, énumère, la respiration hachée par l'émotion :

– Vous avez tué une inconnue à San Sebastián en 1998, Jeanne Gérard près d'Arcachon en 2001, Mélusine Defait à Granville en 2005 et Irène Nemski en 2007 à La Grande-Motte. Et en 2009, c'est le chantier prévu pour la piscine de votre sœur qui vous a à nouveau déclenché. Vous n'agissez que lorsque vous savez où vous débarrasser des corps. Multi-récidive et préméditation à chaque fois. Vous êtes un assassin.

Le gros homme reste bouche ouverte, interdit, n'osant plus prononcer un mot, certain de se trahir, une seule pensée en tête : comment peut-elle savoir ? Il ne lui a rien dit.

31

JEAN CHARDIN retombe sur sa chaise comme un arbre mort. Autour de lui, c'est la confusion. Il doit impérativement se souvenir. Avec exactitude. Il a toujours effacé des pans entiers de sa mémoire dont l'accumulation pouvait être mortelle. Mais il n'est pas fou. Il est certain de n'avoir jamais rien dit, à personne, et certainement pas à elle. Il le sait. Défoncé, ivre-mort, soumis à la torture, pas un mot ne sortirait de lui. Personne ne peut savoir. Son salut passait par le silence absolu. Il n'en a jamais dévié.

Un court instant, il se demande si les petites mortes peuvent revenir de leur royaume nocturne pour réclamer vengeance ou justice. Il est rationnel. Les fantômes n'existent pas, ni les anges de la vengeance envoyés par le ciel. Ce n'est pas le moment de lui poser des questions, il n'est pas en état, tout son système est en train de s'effondrer, ce n'est pas le moment. Il a tenu, il s'était blindé, prêt à tout, il avait préparé son petit speech de conclusion. Le verdict l'a détendu, c'était fini. Il s'est relâché. Il ne s'attendait pas... Personne ne s'attendait à ça.

Il faut qu'il se repasse le film à tête reposée.

Tranquille. Il faut qu'on le laisse tranquille. Il bascule la tête en avant, glisse vers le sol en gémissant. Ça fait un bruit terrible. Peut-être qu'il s'est évanoui pour de bon. Le monde extérieur disparaît. Ça ne dure pas. Le bordel redouble. Les deux gendarmes essaient de le soulever mais il est trop lourd. Qu'ils se démerdent. Lui est ailleurs et ne bougera pas d'un pouce. Il est allongé sur le sol. On lui maintient les jambes en l'air. Puis il est emmené sur une civière, examiné par un médecin, transporté à l'infirmerie où il doit passer la nuit.

Il refuse de voir son avocat. Demain. Demain, il fera jour.

La nuit sera dure. C'est la première fois qu'il tente de se rappeler un de ses interludes pour autre chose que le plaisir, pour son contraire même.

Comprendre aussi pourquoi celle-là n'est pas morte, pourquoi il ne l'a pas tuée. Non, comprendre d'abord pourquoi il a recommencé.

C'était fini. Il avait décidé que c'était fini. C'était après La Grande-Motte. Le retour dans son appartement. Il est assis dans sa cuisine, à la table en carrelage marron et jaune. Il n'a pas allumé. Il regarde les lumières de l'immeuble d'en face exactement semblable au sien. Il est un immense creux. Il ouvre la fenêtre. Il n'éprouve aucune émotion. Se jeter par la fenêtre est une option acceptable.

D'un coup d'œil, il mesure que jamais son corps ne passera par là. Il est habitué à vivre avec la fatalité de son obésité. Dans sa pharmacie, il n'y a que de l'aspirine et des antidépresseurs de marques diverses, selon les toubibs. Parfois, il en prend, parfois pas. Ça l'abrutit trop. Pas de quoi se tuer.

Reste le gaz. C'était après La Grande-Motte, le gaz. Il

l'a raconté à l'audience pour faire bien mais en vérité, c'était après La Grande-Motte. Du coup, ils ne l'ont pas cru. Le mensonge est un art. La vérité aussi. Le petit sphinx est une sacrée artiste.

Au début, il est bien, allongé sur le lino. Attendri, il met en scène son enterrement, sa famille en pleurs, et il disparaît progressivement sur des images de deuil et d'affection.

Le réveil est à vous dégoûter de la vie. Une nausée bileuse, le crâne en tôle attaquée au marteau, le corps ankylosé, froid, atrocement froid.

« Même la mort ne veut pas de moi. » Il se l'est dit, c'est la vérité. Mais il se dit surtout qu'on lui donne une deuxième chance. Tout peut changer. Il n'a pas envie de réessayer. Il veut vivre.

Une deuxième chance, tout peut changer. Une douce euphorie le gagne. Laisser le passé derrière lui, entamer un avenir tout neuf. C'est ce qu'il décide en s'enfilant ses Aspégic, en se mettant sous la douche glacée. Il peut changer. Même pas changer, non, tout n'est pas à jeter chez lui, loin de là, mais cette part-là de sa vie, il va la maîtriser. Il peut s'en passer. Plus jamais.

Un serment solennel.

Quand il arrive chez sa sœur pour le déjeuner, on ne l'a jamais vu aussi en forme. Il a pris une montagne de décisions qui le dopent. Régime pour maigrir, sport, sortir mais éviter soigneusement toute situation poten- tiellement dangereuse. Piscines, bords de mer l'été, plages, squares : zones interdites, et alors ? On peut s'en passer. Il s'en passera.

Il s'y tient. Ce 11 juillet 2009, il se sent assez costaud pour s'autoriser une baignade en mer. Il aime nager, il trouve injuste de s'en priver. La preuve de sa bonne foi est qu'il y va en plein midi quand il y a moins de monde à cause de la chaleur. Il s'est acheté un masque pour voir sous l'eau.

Et la fille est là. Ce premier jour de sa semaine de vacances, la fille semble l'attendre. Il la voit d'abord sous l'eau, derrière son masque, et se tire, comme un requin effrayé par une sardine.

Il se tire, c'est la vérité.

C'est pour ça qu'il revient le lendemain. Il a prouvé qu'il savait résister.

Et elle vient seule. D'abord seule. Elle fait glisser les bretelles de son soutien-gorge pour s'offrir au soleil et à lui. Il se dit qu'il a bien le droit de regarder. C'est un lieu public. Elle sait ce qu'elle fait.

Puis la mère, c'est sa mère, elle lui ressemble, arrive avec un homme. Ils s'allongent sur la même grande serviette. Dès que la fille est dans l'eau, ils s'embrassent. Pas des parents, pas comme des parents.

Il attend qu'elle sorte de l'eau pour se baigner. C'est pour ça qu'il se sent en sécurité, il domine la situation.

Les jours suivants, c'est elle qui entre dans l'eau quand il y est. Même, elle plonge quasiment sous son nez, elle en perd à moitié son maillot et il est sûr que, lorsqu'elle émerge en le rajustant, elle le nargue.

Le 11 juillet, quand ils se retrouvent face à face dans l'eau et qu'elle a peur, que d'abord elle a peur, il s'en va le premier. Pour pas qu'elle ait peur ?

Jusque-là, ils ne se sont rien dit, c'est sûr. Juste deux phrases banales.

Après… il a laissé les choses se dérouler. Il acceptera le signe du destin quel qu'il soit. Il croit au destin.

Le signe, c'est que la famille part en voiture et elle à vélo. Et qu'il connaît le chemin, très bien. Lui aussi l'a fait à vélo quand il était gamin.

Il se dit qu'il va lui faire peur, juste ça, pour lui apprendre. Après, ils en rigoleront. Ou quelque chose.

La preuve, c'est qu'il n'a rien prévu. Il n'a pas de solution pour après. Aucun chantier en cours. Il aurait pu la contredire là-dessus. La piscine n'était pas commencée. Il sort la pelle à portée de main, simple réflexe qui ne prouve rien.

L'excitation de l'attente, ça, c'est mauvais signe, ça veut dire qu'il ne se domine plus vraiment. Et quand il l'aperçoit, il agit en automate. Mais le vrai gros problème, c'est quand elle lui dit tranquillement :

« On se connaît. »

Une affirmation qui coule de source.

Il a un moment de trouble, ça oui, il se le rappelle. C'en est peut-être une qui n'est pas morte. C'est la façon dont elle le dit.

Sauf que non. Ce n'est pas possible, il se rassure. C'est son seul moyen de se rassurer parce qu'il serait incapable de les reconnaître dans une parade, alors ça ne prouve rien qu'il ne la reconnaisse pas.

Il répond : « Ça m'étonnerait. »

Mais le truc, c'est qu'il a son slip sur la tête, ses lunettes jaunes, son pantacourt, son tee-shirt, et qu'il se voit, grotesque avec son corps obèse et mou qu'il traîne comme un boulet, un gros bébé ridicule. D'habitude, ce n'est pas comme ça. D'habitude, il est puissant et impressionnant.

Il essaie de remettre la machine en route :

« Ferme ta gueule. Allonge-toi. T'es vierge au moins ? »

Ce sont des mots, il n'y a rien derrière.

Elle s'allonge et elle dit :

« Comme ça ? »

Nonchalante. Il ne l'a pas rêvé, ça. Il aurait été incapable de l'inventer.

Il ne dit rien, il est sûr de ça, il ne dit rien, c'est elle qui parle, mais pas comme elle a dit.

« Comme en 1999. La petite fille derrière la dune, vous vous souvenez ? » Et il cherche. Bêtement il fouille dans sa mémoire. Où il était en 1999 ? Aucune idée.

Elle le laisse chercher dans sa mémoire. Elle attend, elle a tout son temps. Il commence à penser qu'elle est dingue, appuyée sur son coude comme à un piquenique. Elle lui raconte une scène qu'il n'a pas vécue. Il n'est pas fou. Ce qu'elle raconte, ce n'est pas lui, pas sa façon. Elle commence à lui faire peur. Il commence à penser qu'elle est dingue. Il dit piteusement :

« Je veux m'en aller. »

Mais il ne bouge pas, et elle parle entre ses dents comme un serpent :

« Qu'est-ce qu'il t'arrive ? J'ai pas assez peur ? Ce jour-là, j'avais peur. C'est ça qu'il te faut ? La peur ? »

Elle l'asticote avec des mots qui s'élancent, piquent et repartent jusqu'à ce qu'un voile rouge lui tombe devant les yeux, la fille au sol complètement floue, il lui fout une baffe, deux baffes. Elle a les yeux pleins de larmes, ça, il le voit et elle ne parle plus. Ça au moins, c'est réglé.

Lui non plus. Pas un mot. Il est sûr et certain. Trop occupé à lui en faire chier, sauf que c'est lui qui en chie sous son regard malgré les lunettes et le slip de traviole, elle le perce, même quand elle gémit ou pousse un cri.

Et c'est vite réglé. Nul. Foireux, raté. Parce qu'elle

n'a pas résisté, ni protesté ; qu'elle l'a laissé faire, aidé même, mais il n'a pas envie de se souvenir de tout ça, de l'humiliation de tout ça, l'important c'est de se rappeler qu'il n'a rien dit, pas un mot, à part un ordre aboyé de temps en temps.

Il a roulé sur le côté, il ne supportait plus de sentir son corps maigrichon sous lui. Il a vu la corde, la ficelle plutôt.

Elle a dit :

« C'est pas la peine. »

C'est ça, comme si elle lisait dans ses pensées. Mais les noms des autres n'y étaient pas, il ne les connaissait pas. Se rappeler pour comprendre.

Donc, elle dit « C'est pas la peine », sous-entendu de m'attacher et la suite. Et lui, il est épuisé, incapable de se lever.

Elle dit :

« Écoutez, ce n'est pas grave, j'avais un compte à régler. C'est fait. Il ne s'est rien passé. C'est fini. Faites-moi confiance, c'était la dernière fois. Il faut vous lever et partir. Je me débrouillerai. De toute façon, vous êtes prudent, vous n'avez laissé aucune trace et moi, je ne sais rien de vous. »

Ça, c'est le seul truc qu'elle a dit qui est vrai.

Et il la croit.

Il ne comprend rien. Ni pourquoi, ni quoi. Mais il la croit.

« C'était la dernière fois. » Elle sait, il la croit.

Il se reboutonne avant de se redresser. Elle lui tourne le dos. Il n'a pas à voir son visage. Il vérifie machinalement qu'il ne laisse rien derrière lui. Comme s'il ne la laissait pas, elle ! L'indice mortel.

Les gendarmes arrivent au garage. Il sait que c'est elle. Il a les mains noires, il est en train de changer le pot d'échappement de la Golf à madame Baisieux. Il laisse faire le destin. Elle est son destin.

Il ne peut rien dire. Il ne peut pas dire : «La victime m'a piégé.» Qui le croirait? S'il salit la victime, il est mort, ça, c'est la rationalité. Alors, il avoue et corrige au fur et à mesure selon ce qu'elle dit, elle.

Elle ne mentionne jamais la scène dans la dune en 1999. Pourquoi? Il n'en parle pas non plus. Puisqu'elle n'a pas eu lieu.

Sinon, elle ment tout le temps. Quand il est parti, elle avait ses vêtements. Elle dit qu'il les a emportés. Lui aussi. Il a peur d'elle. Il lui obéit à distance. Comme on essaie d'apaiser un tyran. Il ment parce qu'elle ment. Très attentif. Il pense qu'un faux pas lui serait fatal.

Il se soumet. Il est d'accord pour payer. La prison, d'accord. La prison, c'est une solution. En deux ans, il a trouvé ses marques. Il est à l'abri. Ce que personne ne comprend, sauf elle peut-être, c'est son besoin d'être protégé. Il est derrière un rideau qui le protège. La honte publique. Son père, sa mère, sa sœur, son patron, ses collègues. Ça aussi il accepte.

Mais pourquoi balancer tout à coup quelque chose qui est vrai mais qu'elle ne peut pas savoir? À moins qu'elle ne bluffe. Il niera. Il niera jusqu'à l'épuisement. On ne peut rien prouver.

Comment a-t-elle su? Qui est cette fille? C'est vrai, comme elle a dit, qu'ils avaient conclu un marché tous les deux. Tacite, mais un marché. Il a tenu, il ne l'a pas trahie. Et elle... Si elle gagne, qu'est-ce qu'il lui reste à lui?

Et elle, qu'est-ce qu'elle gagne?

32

DEVANT le tribunal, la petite troupe de Yann est happée par le tourbillon des questions, impressions, émotions, que suscite l'intervention d'Isabelle. `

Frédéric Defait, promu spontanément porte-parole des familles, annonce leur intention de porter plainte, considérant qu'il y a suffisamment d'éléments nouveaux pour justifier que la police reprenne ses investigations.

Claire s'agrippe au bras de son ex-mari. Yann l'entend lui demander de l'emmener ailleurs. On dirait que le couple reconstitué fait front, le virant spontanément hors du cadre.

– Tu n'as qu'à nous rejoindre, lui lance Claire, désinvolte, avant de s'éloigner avec Jean-Loup.

Voyant qu'Agnès Damboise s'apprête à les suivre, Yann balbutie que ce n'est peut-être pas le moment de laisser Isabelle seule. L'avocate perche un sourcil en asymétrie ironique. Clairement, elle n'apprécie pas l'échappée en solitaire de sa cliente :

– Isabelle me semble gérer parfaitement la situation.

Peut-être, pense Yann, mais à quel prix ! À peine

sortie, la jeune fille est face à la caméra de la télévision régionale, des micros se tendent vers elle. Les journalistes sont dans les temps pour le journal de 19 heures.

Elle lève la main à hauteur de la joue, elle semble à bout de forces. Quand un relatif silence s'établit, elle se dit soulagée d'avoir sorti les autres victimes de l'anonymat. Il s'agit désormais de mettre Jean Chardin hors d'état de nuire. Pour l'instant, il retourne en prison accomplir sa peine, mais dès qu'un nouveau juge d'instruction sera nommé, les enquêtes reprendront. Elle remercie par avance les journalistes présents pour la publicité efficace qu'ils feront à ses propos mais là, elle demande comme une faveur qu'on la laisse en paix, elle est épuisée.

Elle accroche le regard de Yann, qui reçoit le message et fend la foule pour la rejoindre. Elle prend encore le temps d'embrasser les familles des victimes présumées, c'est la photo qui fera la une des quotidiens régionaux. Elle cherche ses parents des yeux.

— Ils nous attendent au café.

— Ne me dis pas que je les ai réconciliés !

La phrase lui échappe comme la boule de flipper propulsée tout en haut par un index impulsif qui déclenche un son et lumière assourdissant. Yann s'interroge sur cette image. Est-il le levier ou la boule ? Pas l'index, en tout cas.

Il salue à son tour ceux dont il se sent encore un peu responsable, Frédéric, Steve, Pauline. Il est devenu leur héros. Mais la vraie héroïne à ses yeux, c'est Isabelle.

Tandis qu'ils marchent vers la place, il l'écoute raconter le dénouement à Cécilia. Le téléphone contre l'oreille, elle parle d'une voix que l'excitation rend stridente.

Quelque chose le chiffonne depuis l'ultime intervention d'Isabelle. Il le formule en question dès qu'elle a raccroché :

– Qu'est-ce qui l'a convaincu de partir en te laissant ?

– Qui ? L'assassin ? Oh non, au secours, je ne vais pas recommencer.

– Non, mais en vrai.

– Mais c'est comme j'ai dit, en vrai. C'est dingue que ça ait marché, ça, je suis d'accord, ça tenait à un fil, c'est sûr, mais j'ai retourné la situation. J'ai inversé les rôles.

– Mais comment pouvait-il être sûr que tu te tairais, que tu ne le dénoncerais pas ?

– Parce que je lui ai fait croire que son anonymat le protégeait et que j'avais trop peur. C'est un gros con, n'oublie pas. Yann, on peut parler d'autre chose ? Je te jure, je n'en peux plus.

Il retient son autre interrogation : pourquoi les récits de l'agresseur et de la victime ont-ils collé au détail près, alors qu'ils n'étaient pas vrais ? La lassitude l'emporte. Il s'en lave les mains. Comme ils pénètrent sur la grande place, Isabelle lui prend le bras, dépose un baiser sur sa joue et se penche vers son oreille pour chuchoter :

– Je ne te remercierai jamais assez. Sans toi, je n'y serais jamais arrivée.

Lui, de loin, voit les épaules de Claire se dresser, raides comme la justice, ne peut-il s'empêcher de penser. Elle les regarde approcher, elle a vu le baiser. Doucement, il se détache d'Isabelle, qui s'assied à la table de ses parents, tandis qu'il reste debout, flottant.

L'atmosphère est irréelle. Personne n'embrasse personne, personne ne sourit, il règne autour de la table une atmosphère de tristesse et presque de chagrin. Comme après un krach boursier où chacun compte ses pertes.

Yann n'arrive pas à s'asseoir. Claire lève la tête vers lui.

– Il y a un train pour Paris vers 19 heures, si tu veux le prendre…

– Tu ne veux pas que je reste ?

– Tu as ton vol demain…

– Je peux le repousser d'une journée.

Pure hypocrisie. Il n'a qu'une envie, partir le plus loin possible.

D'un geste de la main qui répond à son absence de conviction, Claire balaie sa proposition. Il vérifie l'heure ostensiblement, arbore la gravité jouée d'une décision prise à contrecœur, salue rapidement Jean-Loup qui est en train de nettoyer ses verres de lunettes avec une attention extrême depuis cinq bonnes minutes, ébouriffe les cheveux d'Isabelle.

– Ça va aller ?

Elle opine en exagérant le mouvement de façon enfantine et lui attrape la main qu'elle serre puis lâche.

Il se penche pour embrasser Claire sur la bouche. Elle répond d'un mouvement de lèvres automatique. Il dit :

– Je t'appelle tout à l'heure.

Elle aussi hoche la tête et, comme il s'éloigne, il l'entend demander à sa fille :

– Alors, c'était ça, les conciliabules et le grand secret ? L'enquête sur les autres ?

– Oui, je suis désolée mais il n'y avait pas d'autre moyen.

Sur le quai de la gare, Yann s'enfonce dans son amertume. Il se sent exclu. Face à l'épreuve, la famille fait masse et expulse les corps étrangers. Il est un corps étranger. Dormir. Partir. C'est son ordre de marche.

Agnès Damboise déboule sur le quai au moment où le train est annoncé et s'éloigne vers le wagon de première classe. À elle, il n'en veut pas. Elle a toutes les raisons d'être furibarde.

Il pivote en entendant une cavalcade : Claire et Isabelle arrivent en courant. Finalement, elles ont décidé de rentrer par le même train.

Jean-Loup est reparti en voiture. À peine assise, Isabelle s'endort. Yann commence à la connaître. Dormir, en l'occurrence, c'est échapper aux questions.

Un silence contraint s'installe. Il est si chargé que Claire finit par poser des questions dont elle connaît les réponses. À quelle heure son avion demain matin ? Il pense rentrer quand ? Il s'agit de remplacer par le tout-venant les non-dits qui s'accumulent comme une bombe à fragmentation au-dessus de leurs têtes.

Il entoure les épaules de Claire de son bras qu'il espère viril et réconfortant, lui chuchote des choses douces sur le thème : c'est fini, on parlera plus tard, ça va aller.

Claire commence à pleurer. Elle pleure jusqu'à la gare Montparnasse, quand Isabelle se réveille, lui saisit la main, se colle à elle, tête inclinée sur son épaule, et bâille, bâille.

La petite silhouette d'Agnès Damboise est déjà loin, prête à disparaître au bout du quai.

– Ton avocate n'est pas contente, dit Claire. Elle a l'impression de s'être fait rouler dans la farine. Elle n'est pas la seule.

– On rentre ? se contente de répondre Isabelle d'une voix de porcelaine.

Le lendemain, Yann part comme on s'évade. Sa semaine sur la banquise lui permet d'évacuer ce qui lui apparaît à distance comme un épisode délirant de deux ans.

Isabelle le voit revenir avec soulagement. Il reste son interlocuteur de prédilection. Après son départ, elle a dormi douze heures d'affilée. Ensuite, elle a pleuré toute la journée puis redormi longuement. Maintenant, ça va. Elle décrète, avec satisfaction, s'être économisé une longue analyse.

Elle s'en tient fermement à son quart d'heure de célébrité et décline toutes les sollicitations qui suivent la publication de l'affaire, car, l'enquête rouverte, la maçonnerie de Chardin attaquée au burin révèle la présence de cadavres faciles à identifier par l'ADN familial.

La victime espagnole pose davantage de problèmes jusqu'à ce que le fichier européen permette de retrouver la trace d'une gamine française, une enfant maltraitée placée dans une famille de substitution, dont la disparition signalée, après plusieurs fugues avortées, n'avait guère remué les foules.

Chardin refuse obstinément de collaborer avec la justice et nie tout sans désemparer. Un ténor du barreau décide de le défendre, arguant qu'en l'absence de preuves, il est scandaleux que les médias et l'opinion publique condamnent son client par avance et instruisent à charge un dossier dont ils ignorent tout.

Isabelle suit tout cela de près et constitue un dossier de presse qu'elle annote de sa main et garde dans un tiroir fermé à double tour.

Entre Claire et Yann, c'est le statu quo d'un cessez-le-feu sans négociations annoncées. Lui accumule les déplacements. Elle arbore une bonne humeur désespérée. Leur relation ressemble à une coquille qui s'est vidée en douce sans changement apparent.

Six mois plus tard, Yann surprend Isabelle dans la cuisine. Elle enfouit méthodiquement dans un sac poubelle toutes les feuilles déchiquetées de son dossier Chardin si patiemment constitué. Ses gestes contrôlés et précis sont sous-tendus d'une grande violence.

– Qu'est-ce que tu fais ?

– J'efface le pire événement de ma vie.

Persuadé qu'elle parle de l'agression, Yann approuve. Elle voulait parler du procès, bien pire à ses yeux.

– Avec Chardin, j'ai joué un rôle pour sauver ma peau. Comme lui joue un rôle pour faire l'ogre. On était deux à lui faire face, une qui flippait, une qui contrôlait. Mais au procès, c'était moi toute seule. J'étais comme Cécilia et toi, sûre de rien, sauf que je devais le faire. C'est pour ça que j'avais tout écrit. J'aurais été incapable d'improviser. Tout le monde me croit tellement forte, mais j'ai failli m'évanouir.

– Et c'est lui qui est tombé dans les pommes. La vérité l'a tué !

– Oh, la vérité…, répond-elle vaguement.

Yann aussi préfère en rester là.

Au fil des mois, sa relation avec Claire s'étiole. Yann ne s'aventure pas à explorer l'origine exacte de sa passivité, que d'autres appelleraient de la lâcheté. Claire se lasse la première. Après les reproches sans effet, la mauvaise humeur, l'irritation, les désaccords minuscules et les silences de plomb, elle suggère qu'il parte. Il proteste assez mollement pour qu'elle se sente bafouée. Elle le traite d'erreur de casting. Il déménage.

Il retrouve ses potes, ses virées, et quand la nostalgie le prend, c'est d'un passé qui n'a jamais vraiment existé. C'est ce que lui explique sans précaution un ami motard autour d'un bivouac, un soir de pleine lune et de mélancolie, quand Yann conclut d'un air profond :

– J'étais vraiment amoureux d'elle.

– De la mère ou de la fille ?

– Je n'ai jamais été amoureux d'Isabelle.

– Admettons. Mais quand tu me parlais d'elle, je veux dire d'Isabelle, je me suis quand même posé la question. Freud considérait l'amour comme une catastrophe psychique. Comme toutes les catastrophes, à éviter.

– C'était bien pourtant. Avec Claire, se sent-il obligé de préciser, je me sentais bien.

Un beau souvenir nostalgique étant un des plus précieux cadeaux de la vie, il s'en accommode aisément, d'autant que Claire s'est remise de la rupture, comme le lui apprend Isabelle qu'il voit de loin en loin, de moins en moins.

La dernière fois qu'il parle de l'affaire, c'est quand il croise Agnès Damboise à un dîner chez des amis communs. Elle est au courant de la séparation et commente abruptement que Claire était jalouse de sa fille. Bien sûr. Yann, horrifié, s'exclame qu'il ne s'est rien passé entre lui et Isabelle, qu'il ne la voit même plus.

L'avocate se contente de sourire.

– Moi si, je la vois toujours. Je l'aime bien. C'est une personne intéressante. Elle vit à Strasbourg, elle fait une école de théâtre. Mais là, elle est à Paris. Elle a fait une demande de parloir… Oui, avec Jean Chardin.

– Pourquoi ?

– Moi aussi, ça m'a étonnée. Elle prétend avoir une seule question à lui poser.

– Une seule ?

– Oui, je sais. Ça veut simplement dire que c'est une question importante à ses yeux. La réponse aux questions importantes se trouve en soi, en personne d'autre, je le sais d'expérience et je le lui ai dit. Mais Isabelle…

– … n'en fait qu'à sa tête, sourit Yann.

33

Au lieu d'un cachalot pathétique définitivement échoué, Isabelle voit arriver au parloir un homme ordinaire, mais pas banal. Jean Chardin a maigri, la masse flasque de son torse, l'épaisseur de ses jambes ont été raffermies par l'exercice. Il porte un jogging délavé, ses cheveux acier, coupés en brosse, renforcent le gris de ses yeux. Des lunettes à monture d'écaille lui donnent un air de prof distrait.

Il s'assied et la détaille paisiblement, laissant aller le silence comme font ceux qui ont tout le temps parce qu'ils n'en dépendent plus.

Elle se sent très calme jusqu'à ce qu'il prenne la parole :

– Ça vous va bien les cheveux courts.

Le buste d'Isabelle oscille légèrement. Désarçonnée. Elle retient le geste de se tâter la tête pour vérifier.

Elle sait pourquoi elle est venue mais les mots, eux, ne viennent pas. Son regard se perd un moment sur le sol en lino marqué par le temps, l'usure et, pense-t-elle, par les peines et les chagrins des visiteurs. La peur peut-être.

Le silence se prolonge. Chardin reprend la parole, comme un hôte qui tente de mettre à l'aise un invité emprunté :

– Vous êtes venue prendre de mes nouvelles ? Je vais bien. Vous n'êtes pas venue vous excuser pour vos mensonges ? Non, cela m'aurait étonné.

Il sourit franchement, un sourire clair, léger, qui ne devrait pas avoir sa place sur ce visage-là.

– Je vous comprends. On est tous condamnés à notre propre compagnie. Vous comme moi. Je n'ai pas envie de vivre avec un assassin. Vous n'avez pas envie de vivre avec une menteuse.

C'est comme s'il avait élargi sa perversité jusqu'au raisonnement, se dit Isabelle. Elle s'attendait à quoi ? Elle lui parle posément :

– J'ai l'intention de témoigner à votre nouveau procès. Pas dans un esprit de vengeance. Parce que je sais que si vous sortez, vous recommencerez. Mais pour moi, je ne vous en veux plus. Je voulais vous le dire.

Il n'a pas besoin d'élever la voix pour exprimer une exaspération couvant sous l'apprêt de son corps maîtrisé :

– M'en vouloir ? Ce ne serait pas plutôt l'inverse ? Entre nous, on pourrait arrêter les grimaces. Une minute de vérité. De vous à moi. Votre petite phrase, je ne l'ai pas inventée ? « On se connaît. » Vous saviez ce que vous faisiez. Rien, mais alors rien ne se serait passé si vous l'aviez voulu. Mais il vous fallait une preuve, la preuve, le truc irréfutable. Pour m'enfoncer. Je ne me laisserai pas faire. Je ne me laisserai plus faire.

– Vous alliez me tuer.

Isabelle n'a pas pu s'empêcher de répondre. Elle retrouve cette même sensation poisseuse qui brouille les lignes, lui remplit les narines de cette même odeur forte de sueur, de saleté, d'excitation et de peur et d'inquiétude. Elle commence à suffoquer. Il poursuit d'un même souffle impatient :

— Je vous ai tuée ? Non. Vous avez été la plus forte. Je comprends que ce soit difficile à avouer. Personne ne vous connaît comme moi. Personne. Ça fait des mois que je vis avec vous. Une cohabitation forcée. Au fait, vos vêtements, vous en avez fait quoi ?

Isabelle repousse sa chaise, se lève. Il l'imite, plus lentement, posément. Son corps est devenu agile. Elle enregistre la souplesse du mouvement, la fermeté des muscles sous le jersey du survêtement. Le corps parle plus clairement que tous les discours. Il se prépare. Il n'a pas changé, il s'est affûté, de la tête et du corps.

Elle a une seule question et elle doit la poser. Maintenant.

— Ce jour-là, vous m'aviez reconnue, n'est-ce pas ? C'est ce qui vous a attiré ?

— Jamais. Je ne vous avais jamais vue. Je ne suis pas l'homme de la dune. C'est ironique, non ? Il faut bien que Dieu s'amuse de temps en temps.

Il lui tourne le dos. Il se déplace silencieusement, son corps lui obéit au doigt et à l'œil. À la porte, il se retourne. Son sourire préparé a le tranchant d'un rasoir. Elle le regarde sans émotion. Sous le muscle hypertrophié tremble un gros bébé impuissant et solitaire planqué derrière un rideau qu'il n'osera jamais tirer. Un ogre de papier. Comme celui de la dune.

Elle a bien fait.

REMERCIEMENTS

Ma vie serait bien pâle sans mes amis, chacun de mes romans leur doit beaucoup.

Cette fois, je remercie particulièrement pour leur soutien, lecture, conseils et informations, Sandrine, Claire, Hélène, Alain, Jean-Alain, Marie, Nanée et Sandrine.

DU MÊME AUTEUR

Aux Éditions Albin Michel

SECRETS DE FAMILLE, Albin Michel Jeunesse, 1998.
L'HOMME QUI N'ÉTAIT PAS MORT, Albin Michel Jeunesse, 2001.
DOUBLE JE, 2002.
LE PASSÉ N'OUBLIE JAMAIS, 2003.
CETTE FILLE EST DANGEREUSE, 2004.
BELLE À TUER, 2006.
TUER N'EST PAS JOUER, 2008.
LA RIGOLE DU DIABLE, 2011.
LA PLACE DES MORTS, 2013.

Chez d'autres éditeurs

COURRIER POSTHUME, Régine Deforges, 1990.
MORT SANS LENDEMAIN, Ramsay, 1992.
COMME UN COQ EN PLÂTRE, Baleine, 1996.
DODO, « La Série Noire », Gallimard, 1999.
SUEURS CHAUDES, « La Série Noire », Gallimard, 2000.
MÉFIE-TOI, FILLETTE, La Branche, 2009.
MAIS D'OÙ VENEZ-VOUS ?, Seuil, 2010.

« SPÉCIAL SUSPENSE »

MATT ALEXANDER
Requiem pour les artistes

STEPHEN AMIDON
Sortie de route

RICHARD BACHMAN
La Peau sur les os
Chantier
Rage
Marche ou crève

CLIVE BARKER
Le Jeu de la Damnation

INGRID BLACK
Sept jours pour mourir

GILES BLUNT
Le Témoin privilégié

GERALD A. BROWNE
19 Purchase Street
Stone 588
Adieu Sibérie

ROBERT BUCHARD
Parole d'homme
Meurtres à Missoula

JOHN CAMP
Trajectoire de fou

CAROLINE CARVER
Carrefour sanglant

JOHN CASE
Genesis

PATRICK CAUVIN
Le Sang des roses
Jardin fatal

MARCIA CLARK
Mauvaises fréquentations

JEAN-FRANÇOIS COATMEUR
La Nuit rouge
Yesterday
Narcose
La Danse des masques
Des feux sous la cendre
La Porte de l'enfer

Tous nos soleils sont morts
La Fille de Baal
Une écharde au cœur

CAROLINE B. COONEY
Une femme traquée

HUBERT CORBIN
Week-end sauvage
Nécropsie
Droit de traque

PHILIPPE COUSIN
Le Pacte Pretorius

DEBORAH CROMBIE
Le passé ne meurt jamais
Une affaire très personnelle
Chambre noire
Une eau froide comme la pierre
Les larmes de diamant

VINCENT CROUZET
Rouge intense

JAMES CRUMLEY
La Danse de l'ours

JACK CURTIS
Le Parlement des corbeaux

ROBERT DALEY
La nuit tombe sur Manhattan

GARY DEVON
Désirs inavouables
Nuit de noces

WILLIAM DICKINSON
Des diamants pour Mrs Clark
Mrs Clark et les enfants du diable
De l'autre côté de la nuit

MARJORIE DORNER
Plan fixe

FRÉDÉRIC H. FAJARDIE
Le Loup d'écume

FROMENTAL/LANDON
Le Système de l'homme-mort

STEPHEN GALLAGHER
Mort sur catalogue

LISA GARDNER
Disparue
Sauver sa peau
La maison d'à côté
Derniers adieux
Les Morsures du passé
Preuves d'amour
Arrêtez-moi

CHRISTIAN GERNIGON
La Queue du Scorpion
Le Sommeil de l'ours
Berlinstrasse
Les Yeux du soupçon

JOSHUA GILDER
Le Deuxième Visage

JOHN GILSTRAP
Nathan

MICHELE GIUTTARI
Souviens-toi que tu dois mourir
La Loge des Innocents

JEAN-CHRISTOPHE GRANGÉ
Le Vol des cigognes
Les Rivières pourpres
Le Concile de pierre

SYLVIE GRANOTIER
Double Je
Le passé n'oublie jamais
Cette fille est dangereuse
Belle à tuer
Tuer n'est pas jouer
La Rigole du diable

AMY GUTMAN
Anniversaire fatal

JAMES W. HALL
En plein jour
Bleu Floride
Marée rouge
Court-circuit

JEAN-CLAUDE HÉBERLÉ
La Deuxième Vie de Ray Sullivan

CARL HIAASEN
Cousu main

JACK HIGGINS
Confessionnal

MARY HIGGINS CLARK
La Nuit du Renard
La Clinique du Docteur H.
Un cri dans la nuit
La Maison du guet
Le Démon du passé
Ne pleure pas, ma belle
Dors ma jolie
Le Fantôme de Lady Margaret
Recherche jeune femme aimant danser
Nous n'irons plus au bois
Un jour tu verras...
Souviens-toi
Ce que vivent les roses
La Maison du clair de lune
Ni vue ni connue
Tu m'appartiens
Et nous nous reverrons...
Avant de te dire adieu
Dans la rue où vit celle que j'aime
Toi que j'aimais tant
Le Billet gagnant
Une seconde chance
La nuit est mon royaume
Rien ne vaut la douceur du foyer
Deux petites filles en bleu
Cette chanson
que je n'oublierai jamais
Où es-tu maintenant ?
Je t'ai donné mon cœur
L'ombre de ton sourire
Quand reviendras-tu ?
Les Années perdues
Une chanson douce
Le Bleu de tes yeux

CHUCK HOGAN
Face à face

KAY HOOPER
Ombres volées

PHILIPPE HUET
La Nuit des docks

GWEN HUNTER
La Malédiction des bayous

PETER JAMES
Vérité

TOM KAKONIS
Chicane au Michigan
Double Mise

MICHAEL KIMBALL
Un cercueil pour les Caïmans

LAURIE R. KING
Un talent mortel

STEPHEN KING
Cujo
Charlie

JOSEPH KLEMPNER
Le Grand Chelem
Un hiver à Flat Lake
Mon nom est Jillian Gray
Préjudice irréparable

DEAN R. KOONTZ
Chasse à mort
Les Étrangers

AMANDA KYLE WILLIAMS
Celui que tu cherches

NOËLLE LORIOT
Le tueur est parmi nous
Le Domaine du Prince
L'Inculpé
Prière d'insérer
Meurtrière bourgeoisie

ANDREW LYONS
La Tentation des ténèbres

PATRICIA MACDONALD
Un étranger dans la maison
Petite Sœur
Sans retour
La Double Mort de Linda
Une femme sous surveillance
Expiation
Personnes disparues
Dernier refuge
Un coupable trop parfait
Origine suspecte
La Fille sans visage
J'ai épousé un inconnu
Rapt de nuit

Une mère sous influence
Une nuit, sur la mer
Le Poids des mensonges
La Sœur de l'ombre

JULIETTE MANET
Le Disciple du Mal

PHILLIP M. MARGOLIN
La Rose noire
Les Heures noires
Le Dernier Homme innocent
Justice barbare
L'Avocat de Portland
Un lien très compromettant
Sleeping Beauty
Le Cadavre du lac

DAVID MARTIN
Un si beau mensonge

LISA MISCIONE
L'Ange de feu
La Peur de l'ombre

MIKAËL OLLIVIER
Trois souris aveugles
L'Inhumaine Nuit des nuits
Noces de glace
La Promesse du feu

ALAIN PARIS
Impact
Opération Gomorrhe

DAVID PASCOE
Fugitive

RICHARD NORTH PATTERSON
Projection privée

THOMAS PERRY
Une fille de rêve
Chien qui dort

STEPHEN PETERS
Central Park

JOHN PHILPIN/PATRICIA SIERRA
Plumes de sang
Tunnel de nuit

NICHOLAS PROFFITT
L'Exécuteur du Mékong

PETER ROBINSON
Qui sème la violence...

Saison sèche
Froid comme la tombe
Beau monstre
L'été qui ne s'achève jamais
Ne jouez pas avec le feu
Étrange affaire
Coup au cœur
L'Amie du diable
Toutes les couleurs des ténèbres
Bad Boy
Le Silence de Grace

DAVID ROSENFELT
Une affaire trop vite classée

FRANCIS RYCK
Le Nuage et la Foudre
Le Piège

RYCK EDO
Mauvais sort

LEONARD SANDERS
Dans la vallée des ombres

TOM SAVAGE
Le Meurtre de la Saint-Valentin

JOYCE ANNE SCHNEIDER
Baignade interdite

THIERRY SERFATY
Le Gène de la révolte

JENNY SILER
Argent facile

BROOKS STANWOOD
Jogging

VIVECA STEN
La Reine de la Baltique
Du sang sur la Baltique

WHITLEY STRIEBER
Billy

MAUD TABACHNIK
Le Cinquième Jour
Mauvais Frère
Douze heures pour mourir
J'ai regardé le diable en face
Le chien qui riait
Ne vous retournez pas

LAURA WILSON
Une mort absurde

THE ADAMS ROUND TABLE PRÉSENTE
Meurtres en cavale
Meurtres entre amis
Meurtres en famille

Composition IGS-CP
Impression CPI Bussière en octobre 2014
Éditions Albin Michel
22, rue Huyghens, 75014 Paris
www.albin-michel.fr
ISBN : 978-2-226-31232-7
ISSN : 0290-3326
N° d'édition : 21341/01 – N° d'impression : 2012052
Dépôt légal : novembre 2014
Imprimé en France